녹슨 글라디올러스

J.H CLASSIC 096

녹슨 글라디올러스

정여운 시집

지혜

시인의 말

아!
이것도 시인가?

스승님은 시라고 하신다

남루하고 허약하고 아픈 것들,

시마詩魔에 들린 듯 오늘도 시가 찾아온다

이 '퍼소나'가 모두 '시인 자신'은 아니어서
때론 남자로, 때론 동·식물로 사물로 태어난다

시집 속에 들어간 모든 대상과 인물들에게 감사하다.

2024년 6월에
정여운

차례

1부   녹슨 글라디올러스

2부 귀향을 바라는 배

3부   아내에게 부치는 다산의 편지

4부 십리 부엌 길

• 일러두기

페이지의 첫줄이 연과 연 사이의 띄어쓰기 줄에 해당할 경우 > 로 표시합니다.

1부
녹슨 글라디올러스

시詩 1

시는 헤엄치기다
가볍게 물에 나를 맡기는 것이다

힘을 주면 물먹게 되는
몸에 힘을 빼면 비로소 뜨는

시詩 2

시는 누드화다
모두 벗고 거울 앞에 선다

시는 범종이다
종을 치면 강물이 울린다

파문을 일으키게 한다
치유와 위안을 얻게 한다

Heaven

밤 열 시 구로디지털역 앞
횡단보도 맞은편
발광하는 알파와 베타들 뒤로
밤이 허공에서 춤추고 있었다
이 덜컹거리는 무질서를 보라는 듯

LiSOHAiR와 MOM'S TOUCH
Heaven(천국)-in-us Coffee
LOVE HEALTH & BEAUTY
ROASTING COFFEE & BAKERY
LOTTERIA Natuur
lalavla OLIVE YOUNG
A   TWOsomeplace

건너편에서
RED EYE가 노려본다

네온사인들이 빛을 마구 쏘아댄다
이건 홍수였고 폭력이었어

그러나 너는 건너지 못하고
알파벳 속을 헤매고 있다
너는 알파벳 나라로 방출되었다

인연

　냉장고에는 과일이 많아요
　사과, 복숭아, 배, 감, 귤, 오렌지, 포도, 멜론, 수박 : 과일
들은 모두 둥그렇습니다

　냉장고에 야채들은 내 손길을 기다려요
　양파, 감자, 통마늘, 콩, 단호박, 양배추 : 채소들은 모두 둥
그렇습니다

　알들은 종류가 참 많아요
　연어 알, 물새 알, 거북이 알, 개구리 알, 계란, 메추리알,
타조 알 : 알들은 모두 둥그렇습니다

　화단에는 꽃들이 많아요
　채송화, 민들레, 란타나꽃, 나팔꽃, 국화꽃, 작약꽃, 수국,
장미꽃, 목련꽃, 무궁화꽃 : 꽃들은 모두 둥그렇습니다

　둥글어질 때까지 비바람도 많이 불었겠지요
　폭풍도 가끔 닥쳤겠지요, 된서리도 맞았겠지요
　뜨거운 태양에 온몸이 그을리기도 하였겠지요
　언 땅에 뿌리 내리느라 발도 시렸겠지요

>

둥글게 앉아 있던 나는 태어날 때
둥근 머리부터 나왔는데 엄마의 자궁은 둥글었어요
엄마는 배를 잡고 돌고 나는 탯줄을 잡고 돌았어요
생명이 있는 것은 둥글게 살고 싶어 한다는 것을 알았어요
할아버지 할머니는 둥근 해를 보며 한 세상을 사셨지요
돌아가신 후에 두 분은 둥근 봉분 속으로 나란히 들어가셨
답니다

녹슨 글라디올러스

글라디올러스가 요에 붉고 노랗게 피어 있었다

 죽을 때가 되면 안 하던 짓을 한다카더마는 인자 너그 아부
지가 죽을랑갑다
 오줌 싸는 것도 모자라서 피똥까지 싸니 내가 죽을 지경이다

 등 굽은 노모 입에서 맵찬 바람이 불었다

 꽃밭에 키 큰 측백나무 두 그루가 누렇게 말라가고 있었다
 어머니는 채송화와 제비꽃에 물을 주고 있다

 사방으로 흩어진 스테인리스 양푼이에 아버지의 오줌이 찰
랑거렸다

 오줌통을 턱 밑에까지 갖다 줘도 와 맨날 그릇에다 오줌을
싸노 말이다
 내가 너그 아부지 오줌을 먹은 게 한두 번이 아이다

 방 안에서 벽지만 뜯고 있던 아버지는 엉덩이로 꽃동산을
만들었다

\>

이게 뭐꼬? 고마 죽으면 편할 낀데,
자는 잠에 가야 될 낀데 너무 오래 살까 봐 걱정이다
너그 아부지 두고 내가 먼저 죽으면 천덕꾸러기 되는데 우
짜노

어머니는 침대 머리맡에 족자를 걸어놓고 매일 염불처럼
외웠다

천千 자리 만萬 자리 내 침수寢睡에 맞는 자리
황금을 뿌린 자리 불보살님 닿는 자리
이내 일신 갈 적에는 좋은 날 좋은 시에
자는 잠에 고이 가게 하시옵소서*

이따금 찬바람이 와서 마당을 쓸어주고 갔다
뜰아래 꽃들이 쿨럭쿨럭 기침을 했다

글라디올러스가 요에 붉고 노랗게 피어 있었다

* 갓바위 어느 노보살의 발원에서.

안양역이 주는 그리움의 거리 44.32km

1호선 안양역,
출근하는 전철안에서
기형도 시인의 '조치원'을 읽는다

관악역에서,
그리운 고향으로 가는 경부선 '새벽 밀양역'을 읽고
석수역에서 목월 시인을 만나는 중앙선 '모량역'을 읽고
금천구청역에서 경의선 '월롱역'을 읽는다

독산역에서 동해남부선 '월내月內, 바다가 보이는 간이역'
을 읽고
가산디지털역에서 하늘도 세 평 꽃밭도 세 평,
이라는 영동선 승부역
'그 소리들'을 읽는다

구로역 4번홈에서 인천행으로 환승하면서
'구례구역의 사랑노래'를 읊으며 '겨울 정동진에 가면'을 읽
는다

안양역에서 구로역까지

그리움이 남은 거리 (30.43km)

구일역에서 정선선 '구절리 바람소리'를 읽고
개봉역에서 경전선 '명봉역'을 읽고
오류동역에서 정선선 '아우라지 간이역'을 읽고
온수역에서 전라선 '오수역에서'를 읽는다

역곡역에서 '압록역이라고 있다'를 읽고
소사역에서 '사평역에서'를 읽고
부천역에서 '유천역'을 읽고
중동역에서 '증산역에서'를 읽고
송내역에서 '송포역에서'를 읽고
부개역에서 '도고 도고역'을 읽고
부평역에서 광원들의 아침을 연 고한역,
'검은 민들레'를 읽는다

백운역에서 중앙선 '구둔역'을 읽고
동암역에서 영동선 '도경역'을 읽고
간석역에서 장항선 '수덕사역'을 읽고
주안역에서 하늘도 가깝고 주님도 가까운,

태백선 '추전역'을 읽는다

도화역에서 동해남부선 '모화역에서'를 읽고
경부선 '연화역을 지나며'를 읽고
경전선 '다시 석정역'을 읽으며
긴 그리움 후에 만난 상사화를 꽃피운다

제물포역에서 경부선 '물금역'을 읽고
도원역에서 영동선 '양원역에 가면'을 읽으며
중앙선 '단양역 앞에서' 고달픈 수몰의 추억을 함께 읽는다

동인천역에서 경전선 '한림정 역에서 잠이 들다*'를 읽고
인천역에서 고향집 고목 아래 그리움이 누워 계시는 대구,
'고모역'을 읽으며 전철에서 가볍게 발을 내린다

안양역이 주는 그리움의 거리
44.32m
안양역이 주고 간 그리움의 거리
0km

* 최학『시가 있는 간이역』.

플라스, 플라스, 플라스틱

플라스틱 헬멧을 쓴 청년의
플라스틱 배달 가방에서 플라스틱 도시락이 나온다
"배달왔습니다."라는 말이
"플라스틱 왔습니다."로 들린다

플라스틱 식탁 앞에서
플라스틱 의자에 앉아
플라스틱 도시락에 담긴 돼지고기 덮밥에
플라스틱 통에 담긴 육수와
플라스틱 통에 담긴 오이피클과
플라스틱 통에 담긴 치킨과
플라스틱 통에 담긴 무 깍두기를

플라스틱 숟가락과 플라스틱 포크로 먹는다

플라스, 플라스, 플라스틱
하루라도 플라스가 안 되면 안 되는 플라스틱

플라스틱 통에서 음식들이 썩는다
플라스틱 콜라를 캬아 들이키고

쿨럭 쿨럭 기침을 한다
플라스틱이 목에 걸렸나

지구는 플라스틱으로 가득차고
집집이 플라스틱 인간들이 넘쳐난다

사라지다

어느 날 갑자기 앞집이 헐렸다

복사꽃에 눈 맞추던 가죽나무가
이따금 악수하던 등 굽은 감나무가
사라졌다

삭은 기와지붕이
그 위에 얹혀있던 빈 컵라면 용기가
아이스크림 봉지들이
널브러져 바람에 흩날리던 두루마리 휴지조각들이,

털북실이 고양이들이
어미 젖 빨다가 살금살금 용마루를 오르내리던
갓 태어난 새끼들이
사라졌다

우리 집 계단 아래 몰래 와서
똥을 두 덩어리나 싸 놓고 도망간 녀석들이

거실 방충망에 앞발을 치켜세우며

놀아 달라고 긁어대던 흰 털 고양이가

나지막한 담벼락에 앉아 오수를 즐기던
누런 줄무늬 고양이가

보름 전 담벼락 위에 나란히 앉아 있던
갓 태어난 검은 고양이들이

직통으로 달려온 정오의 햇살이 눈을 찌른다

말하는 손가락

불 꺼진 밤
턱 괴고 엎드려 빛을 두드린다

그는 엄지로 말하고
나는 검지로 답한다

카카오톡이 목소리로 갱신해올 때면
손가락이 입이다

키스도 손가락으로 누르고
반듯하고 매끈한 액정은 떨리는 촉감이다
한쪽으로 밀어 넘기면서
톡톡톡 튕겨내는 창 속의 파문들

빨간 입술 무늬 이모티콘 하나
검지로 길게 눌러 떠나보낸다
핑크빛 하트도 밤의 나비다
이곳과 저곳을 수정하는 접합이다

메마르고 부어오른 입술이
손가락을 째려보며 질투하는 밤이다

소리들*
— 토지문화관에서

참새 소리 까치 소리, 바람 소리, 모과 떨어지는 소리 빈 옥수숫대 서로 비벼대는 소리 이웃집 개 사납게 짖는 소리 목줄에 묶인 개가 펄쩍펄쩍 뛰는 소리 새벽닭 우는 소리 새벽 첫차 34-1번 시동 거는 소리 귀례관에 전기 히터 돌아가는 소리 새벽에 종이 위에 글 쓰는 소리 컴퓨터 자판 두들기는 소리 '쐐애액 쐐애액' 모니터 화면에서 불어오는 바람 소리 도서관에서 책장 넘기는 소리 식당에서 밥솥 뚜껑 여는 소리

접시 위에 달그락대며 반찬 담는 소리 삐거덕 식당 의자 빼내는 소리 투명 아크릴 건너편에서 마스크 벗으며 눈인사하는 소리 "맛있게 드세요" 아크릴 너머로 서로에게 인사하는 소리 "아삭아삭" 총각김치 깨무는 소리 후루룩후루룩 미역국물 먹는 소리

"잘 먹었습니다" 주방 아줌마를 향해 인사하는 소리 회촌천에 물 흐르는 소리 들판에 벼 이삭 익어가는 소리 저희들끼리 바람에 속살대는 소리 성황당 언덕길에 낙엽 바스락대는 소리 떨어진 밤송이 벌어지며 굴러가는 소리 잠자리가 내 어깨에서 날갯짓하는 소리 길가 코스모스 한들거리는 소리 벌들 꽃술에 날아드는 소리 농로를 따라 산책하는 발자국 소리 단풍잎이 은행나무 발등 덮어주는 소리 "선생님, 오늘 퇴실확인서 써 주셔야 합니다" 전화기 속 관리직원 목소리 11월

달력 펄럭이는 소리 책꽂이에서 책 내리는 소리 옷장 문 열리는 소리 택배 박스에 포장 테이프 붙이는 소리 우체국으로 달리는 승용차 소리 '끼익' 차 멈추는 소리 드르륵드르륵 택배 수레 굴러오는 소리 낑낑 택배 박스 옮기는 소리 우체국 문 닫히는 소리 11월이 저무는 소리

* 이 작품은 2021. 11. 30 원주 토지문화관에서 창작한 작품임.

원하지도 않는데

카톡 친구 신청이 들어온다
원하지도 않는데 페이스북 친구 신청이 들어오고
원하지도 않는데 모르는 이들이 페북에 댓글을 남기고
원하지도 않는데 카톡에 광고가 즐비하게 뜨고

원하지도 않는데 임플란트는 어디 병원엘 가라느니
주름을 펴라느니 일방적인 광고가 뜬다
임플란트도 주름도 펼 나이가 아닌데,
삭제하려고 아무리 눌러도 오히려 광고판으로 접속이 되고

스팸 문자와 피싱 문자가 날아오고
단톡 회원은 카톡을 수시로 올려 대고
너도나도 질세라 톡톡 톡톡

어떤 곰 같은 사내는
새벽에도 밤 열두 시에도 남의 유부녀에게 톡을 날리고
무시로 날아드는 카톡에 스트레스를 받는다

원하지도 않는데 페북에 친구가 글 올렸다는 알람이 오고
언제부터인가 폰을 열면 시답잖은 광고가

톡톡 톡 톡 톡톡 톡…

어지럽다

'하얀거 중. 당분간 카톡 안 됨.'
나는 휴대폰에 프로필 문구를 바꾼다

오독

동네 놀이터 귀퉁이 이팝나무 아래

의자만 한 사과 두 개 그 옆에 반쪽짜리 사과 하나

의자만 한 사과 두 개 그 옆에 반쪽짜리 사과 하나 삐딱한
그림자 하나

의자만 한 사과 두 개 그 옆에 뱃속을 드러내고 몸을 젖힌
사과 하나
삐딱한 그림자 하나 그 옆에 허리 돌리기 운동 기구 두 개

큼지막한 사과 모형 두 개 그 옆에 반쪽 남은 사과 하나 그 옆에
삼각형의 빈 잔디밭
키 큰 이팝나무 아래 사과 세 개 옆으로 구부정하게 지나가
는 사과들
그 옆에 삐딱한 그림자

큼지막한 사과 앞에 어른거리며 사진 찍고 반쪽 사과를 만
져보는 반쪽들
반쪽의 봄 반쪽의 희망 반쪽의 사과

옷 태우는 여자

이전에 물들었던 옷 자꾸만 꺼내놓는다

물들었다 몸 여기저기에
묘사보다 설명의 파란 물이
함축보다 산문의 초록물이
6개월 동안 물 빼기 작업으로 뜨거운 땀 흘렸다

걸친 것이 많아서 벗어야 할 것이 많다

만능 재주꾼이 부럽다

입고 있던 옷의 어깻죽지에 실밥 터지는 소리 들린다
청바지에 지퍼가 터져서 벌어지고
스커트에 치맛단이 터지고
브랜드 모피 코트에 금단추가 땅바닥으로 떨어진다

몸에 맞지 않은 옷
어울리지 않는 옷
모두 불에 태우고 다시 태어나야 한다

시詩로, 시詩로

너는 술이다!

주애酒愛는 돈보다 시를 벌러 다니고
금주禁酒는 시보다 돈을 벌러 다니고

주애는 기형도 시집에 2층 집을 짓고 있고
금주는 그 옆에 새로주酒 공장을 짓고 있고
주애는 매일 카톡으로 금주에게 시를 보낸다
금주는 매일 전화로 주애의 시를 평한다

금주는 시를 쓰고 싶어하면서도 못 쓰고
커피 때문에 술 때문에 (   ) 때문에

금주는 언젠가는 술시를 써야겠다고 말하고
주애는 술 시집을 내겠다고 말하고
그들은 술에 취해 술 이름을 읊는다

폭탄주, 해롱주, 이별주, 고독주, 신년주,
놀아주, 송별주, 축하주, 던져주, 다퍼주,
개소주, 나가주, 참아주, 잡아주, 죽어주, 살려주,
희망주, 울어주, 방황주, 후회주, 바다주, 안아주, 사랑주,
설雪주, 우雨주, 고통주, 사고주, 도피주, 감옥주,

출소주, 새로주, 해장주, 생명주, 부활주

금주는 술이 없다면 세상 살맛이 없다,고 하고
주애는 치마폭에 빠질 정도가 아니라면 좋다,고 한다

주애는 시집 제목을 미리 지어 놓았다
『너는 술이다!』라고

꿈속에서

오규원 선생님을 만났다
어느 대학 강의실에서
선생님의 제자가 되어
여러 학생들 중에서
혼자 연구실로 호출당해서
왜 부르셨을까, 머리를 갸우뚱해하면서
다른 학생의 작품을 봐 주시고 계시는 연구실에서

선생님의 질문에 대답하는
크고 또렷한 잠꼬대
내 목소리에 꿈을 깼다

짙은 눈썹, 눈이 크고 갸름한 얼굴
사십대 중반의 미남 교수
얼굴도 몰랐는데 선명하게 보인 모습이다

침대 머리맡에 있던 오규원 시 전집 2가
나를 보며 씩 웃고 있었다

세일 중

활 냉낙지 1kg 12,000원 50% 세일
영광 굴비 40마리에 15,900원
동태포 3팩에 10,000원
손질한 꽃게가 2팩에 10,000원
대하 30마리 9,900원
오징어, 꼴뚜기 젓갈 1kg에 12,900원
명란젓 한 팩에 9,900원

자 싱싱한 바다가 네 마리에 만 이천 원
저녁이라 노을은 한 봉지씩 공짜로 드려요

자 바다를 팝니다
맛있는 바다 떨이요

2부
귀향을 바라는 배

쉰대부채춤

어미는 칠쇠방울 꽃무당이었습니다
꽃다운 스물다섯에 혼자가 되었습니다
외딴 오두막집에서 신을 모시며 살았습니다

잠결에도 쇠방울 소리가 들려오고
쿵, 쿵, 쿵 지축 흔들리던 소리가 달려오고
어미는 밤낮없이 신을 업었습니다

무복巫服 입고 망건 쓰고 꽃갓 쓰고*
왼손에는 쇠방울을 흔들고
오른손에는 쉰대부채를 펼쳐 든 어미는
호랑나비처럼 신위神位 앞을 날아다녔습니다

어미는 칠쇠방울 꽃무당이었습니다
내 사랑을 흔들어 놓은 쇠방울 소리
오색찬란한 소리가 연꽃의 심장을 찔렀습니다

안 된다, 무당의 딸이어서 결혼은 안 된다

제단 촛불 위로 그의 어머니 목소리가 타고 있었습니다

초롱초롱한 방울소리 속으로 들어가고 싶었습니다
쉰대부채춤 뒤로 숨어버리고 싶었습니다
나에게도 신 내림을 주셨으면

무당의 딸인 줄 아무도 모르는 먼 곳에…

섬진강 물줄기가 어미의 말문을 삼켰습니다
물길이 산 그림자를 떠밀고 있었습니다

칠쇠방울 꽃무당도 되지 못하고
연꽃 한 송이 피워보지 못하고
풀죽은 보따리로 강가에서 배를 기다리고 있습니다

* 소설 『토지』의 인물 월선이를 모티브로 쓴 시.

장맛비 소리에 파묻혀*
— 아내에게 부치는 다산의 편지

어제는 갑자기 천둥과 폭우가 들이닥쳤소.
성난 바람이 대나무 가지를 부러뜨리고 뿌리를 흔들었소.
책장이 마구 넘어가고 수염이 이리저리 날리었소.
삽시간에 마당은 흙탕물을 게워낸 듯했소.
밤새 장맛비 소리에 모든 것이 파묻혀 버리는 것 같았소.
부인과 아이들은 잘 지내는지요. 장맛비로 인한 피해는 없
는지요?
새벽에 일어나 보니 풀벌레 소리만 가까이 다가와 있소.

폭우가 세상의 더러운 것을 다 씻어 버린 듯, 어둠은
어제와는 다른 세상을 열 것만 같은 착각을 일으키고 있소.
이곳은 간혹 바닷바람이 더위를 식혀 주어 올여름은 견딜
만했소.
바닷가에서 오랜 기간 보내기는 처음이라 모든 것이 생경
하였소.
이런 새벽은 생각에 잠기기에 좋은 것 같소.
바둑에서 복기하듯, 지난 일들을 되짚어 보게 되었소.
인생살이 근심을 무엇으로 달래 볼까, 비바람에 눈썹을 펴
보았소.

>

비록 유배객이지만 한밤중이 글쓰기에는 좋은 시간인 것 같소.

어젯밤에는 송옥宋玉의 「구변九辯」을 읽었소.

충신 굴원屈原의 기침 소리가 행간에서 들리는 듯했소.

장마가 그치면 곧 가을이겠지요.

내 인생도 어느덧 가을인 것 같소.

힘들지만 좁은 이 공간에서라도 매일 책을 읽고,

시를 짓고 있으니 학연이와 학유에게도 학문에 충실하라고 해 주오.

만물이 잠든 새벽에 홀로 잠 깨어 마음을 다잡고 있소.

잘 지내고 있다는 말이니 너무 근심은 안 하셔도 될 것 같소.

모쪼록 부인도 아이들도 무탈하게 잘 지내시기를 기도하오.

신유년辛酉年 8월 장기長鬐에서 쓰다

---

* 이 시는 사실을 바탕으로 하되 다산의 목소리를 빌어 상상하며 창작한 작품임.

스물한 살

그의 소식을 그날 들었다

훈련소 내에 조용하게 드리워져 있던 커튼
어느 날 커튼이 사라졌다
샅샅이 뒤져 커튼을 찾아와

다급한 군홧발자국 소리들이
언 골짜기를 깨웠다

하얗게 차오르던 상현달
커튼의 허리춤에 매달려
어두컴컴한 내무반 천장에서 발견되었다

식물인간이 될 거 같습니다.
의사의 말에 부모는 오열했다

"우리 이제 헤어져"
이별 문구가 담긴 편지 한 장이
사물함에서 발견되었다
상현달은 한 달을 채우지 못하고 그믐달이 되고 말았다

>

스물한 살

또 하나의 별이 밤하늘에 떴다

백장미

죽산 정신병원 철 대문 안쪽에서
담장 밖을 내다보는 하얀 장미가 있다

누가 그를 저 철문 속에 가두었을까
꽃은 자신도 모르게 입원되었다
매일 조금씩 바깥을 향해 기어보지만
장미는 발이 작아 나갈 수가 없다

철문을 잇는 벽에 갇힌 장미는
제 힘으로는 담을 넘기 어려워
매일 조금씩 낡아 간다
쇠창살 깊게 꽂힌 콘크리트 속
육중한 철 대문이 닫힌다

제발 내 보내 주세요
꽃잎이 하얗게 운다

죽산 정신병원 아슬한 담장을
숨죽이며 넘고 있는 하얀 장미의
목을 누가 싹둑 자른다

대어 낚시

긴 머리카락의 바람이 빠져 죽은 저수지
고요하다

찌를 던져놓고 기다린다
썩은 내장 냄새가 찌 끝을 살며시 흔들어 놓는다

독한 여자, 어린 자식들 남겨두고 먼저 가다니
삼 년 전, 딱 한 번 정류장에서 마주친 적 있었다
찐득한 욕지거리가 너울거리다가 기슭을 삼킨다

순간, 치솟은 찌가 공중에서 부르르 떤다

잡았다 월척이야! 뜰채 가져와!
종아리보다 크고 굵은 송어
낚싯대를 휘어놓은 채 버둥거린다

집에 갖고 가서 회쳐서 먹어 맛있을 거야
재빨리 아가미에서 낚싯바늘을 빼는 사내
피도 눈물도 없는 것, 잘 만났다, 오늘이 네 제삿날이다
몸통을 잡다 커다란 눈과 마주쳤다

>
송어를 안아 검정 비닐봉지에 담는다
퍼덕거리다가 금세 숨을 거둔다

기사님, 회 좋아하시면 이 송어 가져가실래요?
택시 타고 저수지를 빠져나오는데 자꾸만 그 눈빛이 아른
거렸다

스물일곱 새알

언니가 실종된 지 열흘이 지났다
엄마는 머리를 싸매고 드러누웠다

철쭉이 온 산을 활활 태우던 봄날이었다
아빠와 나는 경찰과 함께 산으로 올라갔다

전라도 어느 국도변에 있는 산골,
진돌이가 땅을 파며 킁킁거렸다
언니는 보이지 않았다 온 산을 미친 듯이 헤매었다
작은 밭 귀퉁이에, 청바지 조각이 널브러져 있고
불에 탄 언니가 엎어져 있다
경찰이 황색 띠를 두르고 접근 금지시켰다
애인을 만나러 간다더니 왜 낯선 산비탈에 묻혀 있을까

아빠는 언니를 화장시켰다 철쭉꽃 닮은 언니
흰밥에 하얀 뼛가루를 섞었다,
작은 새알을 하나씩 만들었다
스물일곱 개의 새알이 새로 태어나려 부화하고 있었다
살짝 만져보니 아직 따뜻하였다

\>

아빠와 팔공산 꼭대기로 올라갔다
차마 너를 이대로 보낼 수 없어
우리는 품 안에 품고 있던 새알,
하나씩을 소나무 밑에 놓았다

스물일곱 그루의 소나무 아래
언니를 놓아두었다
하늘을 날던 새들이 내려와 절을 했다

철쭉이 온 산에 불을 지르던 봄날이었다
탄내 나는 오월이었다

귀족녀

카페를 운영하는 내 동생 은서,
여기저기 숍이 늘면서
커피 한 잔을 천 원까지 내렸다

포메라니안 목욕 비용은
아메리카노 커피 오십 잔이라고
휴무일 은서는 강아지를 품에 안고
동물병원에 간다
얼마나 먹였기에 살이 이렇게 쪘나요?
이러면 호르몬에 문제가 생깁니다
다리가 가늘어져서 안 돼요
비만에 걸린 강아지 관절치료비가
엄마 무릎 물리치료비의 두 배
깨알 같은 은서의 가계부에도 털이 날린다

한 달에 아메리카노 육백 잔을 사료 값으로
먹어 치우는 우아한 귀족

밤늦게까지 원두를 갈고 잔을 씻고도
강아지 똥꼬 닦기에 바쁜 은서

시골에 혼자 사는 팔순 엄마 대신
서양에서 건너온 뽀글뽀글 하얀 헤어스타일
귀족녀 한 분,
내 동생을 아직도 부리고 있다지

여행

내 방 책꽂이에는 자주 보는 책들이 꽂혀 있다

맨 위 칸에
『봄은 고양이로다』
『진달래꽃』
『날개』
『하늘과 바람과 별과 시』
『목마와 숙녀』
『일출봉에 해 뜨거든 날 불러주오』
『나는 너와 결혼하고 싶다』

그로부터 우측 코너에
『매음녀가 있는 밤의 시장』
『거꾸로 선 꿈을 위하여』

그 아래 칸에
『입 속의 검은 잎』
『분홍색 흐느낌』
『지옥에서 보낸 한 철』
『꽃 피는 화창한 봄날 바다를 마주하고 서서』

\>

　시인 이장희는 스물아홉에 김소월은 서른셋에

　이상은 스물일곱에 윤동주는 스물아홉에 박인환은 서른하
나에

　김민부는 서른둘에 이경록은 스물아홉에 이연주는 마흔에

　진이정은 서른넷에 기형도는 스물아홉에 신기섭은 스물여
섯에

　랭보는 서른여덟에 하이즈는 스물다섯에

　죽. 었. 다.

　창밖에 벚꽃 잎이 비바람에 흩날린다

귀향을 바라는 배

생사의
현장에서선장이
탈출한배,"기다리라"는선장
의말때문에숨을거둔배,분개의배,원수의배,
파도에멍든배,실망의배,탄식의배,불신의배,양심과돈을
맞바꾼해적의배,피눈물로얼룩진배,절망의배,늪의배,팽목항수학여
소망   행의배,이별의배,추악한권력의배,'바다'와'세월'을욕되게하
과염원의배,나라를   는배,몸통에나사가풀린배,관절통으로고통스러운배,
개망신시키는배,곪은배,병든배, 구멍뚫린배,침몰하는배,죽음의배,304명세월을잡
상한배,물러터진배,도려내야할배,배, 아먹은수마의배,복장터지는배,끓어오르는배,통
부글부글거리는배,복통으로설사하는배, 곡의배,팽목항에서물고기밥으로뿌리고싶은배,
이민을부추기는배,탄핵과하야를외치는민   인내하는배,붉은녹물의배,희망의배,하지만현
주주의배,타오르는배,욕을먹어서배부른배,   실의배,강건너불구경하는배,고집이센배,복종
망각의배,사랑으로추모하며품어주어야할배,미안   의배,오보로태평양까지출렁이게하는배,버
하다!아들딸들아,다시연꽃으로피어돌아오너라.   려야할배,운명의배,역사에남을배,악마의
2014년4월16일,그날을주홍글씨로가슴에새기고   배,밑이별겋게헐어너덜거리는배,음흉한
살아야할배,떠나보내고싶어도마음에서떠나지않는   어둠의배,욕망의배,잠자는배,대통령
연민의배,침몰후,천일이지나서야수면위로나오   이나타나지않은7시간,벙어리의배.
는배,대통령탄핵후에야팽목항에서끌려   눈먼배,귀먹은배,비밀의배,오래
너와같이   나오는배.배야,   살아남의나라에까지팔려온
떠난304송   배야,   측은한배,성난촛불민심의
이어린꽃들   배,노란리본의배,
은어찌하고   바다에게미안
몸은부서지   한배,
고싸늘한주
검으로너만
돌아왔느냐

귀향을 바라는 배*

아들딸들아, 다시연꽃으로피어오너라, 배, 배!집채보다큰배,
나이가오래된배, 일본에서버린배, 세금을쏟아부어산불가사의한배,
304꽃송이세월을삼킨배, 국민의피땀을삼킨배, 불법개조한둔갑의배,
성형의배, 욕망과탐욕의배, 출구가없는배, 소통이꽉막힌배.

생사의현장에서선장이탈출한배, "기다리라"는선장의말때
문에숨을거둔배, 분개의배, 원수의배, 파도에멍든배, 실망의
배, 탄식의배, 불신의배, 양심과돈을맞바꾼해적의배, 피눈물
로얼룩진배, 절망의배, 늪의배, 팽목항수학여행의배, 이별의
배, 추악한권력의배, '바다'와'세월'을욕되게하는배, 몸통에나
사가풀린배, 관절통으로고통스러운배, 구멍뚫린배, 침몰하는
배, 죽음의배, 304명세월을잡아먹은수마의배, 복장터지는배,
끓어오르는배, 통곡의배, 팽목항에서물고기밥으로뿌리고싶
은배, 인내하는배, 붉은녹물의배, 희망의배, 하지만현실의배,
강건너불구경하는배, 고집이센배, 복종의배, 오보로태평양까
지출렁이게하는배, 버려야할배, 운명의배, 역사에남을배, 악
마의배, 밑이벌겋게헐어너덜거리는배, 음흉한어둠의배, 욕망
의배, 잠자는배, 대통령이나타나지않은7시간, 벙어리의배. 눈
먼배, 귀먹은배, 비밀의배, 오래살아남의나라에까지팔려온측

은한배, 성난촛불민심의배, 노란리본의배, 바다에게미안한
배, 소망과염원의배, 나라를개망신시키는배, 곪은배, 병든배,
상한배, 물러터진배, 도려내야할배, 배, 부글부글거리는배, 복
통으로설사하는배, 이민을부추기는배, 탄핵과하야를외치는
민주주의의배, 타오르는배, 욕을먹어서배부른배, 망각의배,
사랑으로추모하며품어주어야할배, 미안하다!아들딸들아, 다
시연꽃으로피어돌아오너라. 2014년4월16일, 그날을주홍글
씨로가슴에새기고살아야할배, 떠나보내고싶어도마음에서떠
나지않는연민의배, 침몰후, 천일이지나서야수면위로나오는
배, 대통령탄핵후에야팽목항에서끌려나오는배.

　배야, 배야,
　너와같이떠난304송이어린꽃들은어찌하고
　몸은부서지고싸늘한주검으로너만돌아왔느냐

* 가독성을 위해 앞의 조형시를 따로 옮겨 적음.

맹인

명학역 전철에서 내려 계단을 향해 걷는데
계단 끝에 한 아가씨가
지팡이를 내저으며 다가온다

은색 지팡이가 바닥을 두드리며
구로행 방향으로 몸을 돌려
탁 탁 타닥 탁
다시 신창행 방향으로 몸을 돌린다
탁 탁 탁탁 탁
기다란 지팡이가 바닥을 연주한다

그녀의 눈과 마주치자 문득 발길이 멈추고
눈길이 그녀를 따라간다
그녀는 스크린도어 쪽으로 다가가
닫힌 도어 위 알루미늄 기둥에 손을 갖다댄다
그때 나는 그녀의 손끝에서
명함 크기만 한 점자 글자판을 보았다
그녀는 그 자리에 지팡이를 세우고 섰다

눈여겨보지 않으면 안 보일 안내판

맹인은 그녀가 아니고 나였다
눈 뜬 장님이었던 나는
그 안내판을 눈으로 오래 더듬고 있었다

치매에 갇히다

은희가 어머니 간병을 교대해 주러 강릉으로 갔다
차창으로 보이는 집들과 나무들이 뒤로 물러난다
역방향으로 앉아 있는데 시간이 거꾸로 달려간다

현관문을 열고 들어서는 은희를 보고
침대에 누워 있던 어머니가 부스스 일어나신다
어느 나라에서 왔는데 색시는 우리나라 말을 그렇게 잘 하
나?
아기처럼 웃으면서 하는 말에
월남에서 왔슈.
은희가 길고 노란 머리를 흔들며 웃는다
어떻게 보면 재원이 엄마 닮기도 했고.

까마득한 과거로 가 계신 어머니
어머니는 지금 고인이 된 친척들을 불러 모아 얘기 중이다
문득 은희도 고인 중에 한 사람이 된다
막내 사위를 보고
저기 도둑놈이 와 있다 가까이 가지 마라.
무서운 눈을 하고 벌벌 떠신다
그렇게나 예뻐한 막내사위는 순간 도둑이 된다

>
햇살 맑은 날은 기억도 맑아
이렇게 살아서 뭐하나, 맘대로 죽지도 못하고…
먼 산을 보신다, 그럴 때는
기저귀에 볼일을 보시라고 해도 기어이
끌차를 밀며 화장실로 가신다

어머니 침대 옆
전신 거울 속으로 햇살이 비쳐든다
어머니가 손가락에 낀 반지로 거울을 긁어댄다
그는 무엇을 긁어내고 싶은 걸까
은희가 거울을 떼어낸다

흡씨*와 시렁과 다리
— 단교 선생 헌시

엄마 뱃속에서 나오자마자 시렁 위에 얹혔다 한겨울 섣달
스무날 한밤중에 솜털에 싸인 핏덩어리 하나가 붉은 시렁 위
에 얹혔다 울음이 채 그치기도 전에 탯줄이 채 마르기도 전에
엄마 눈과 마주치기도 전에 대광주리에 담겨 시렁 위에 올려
졌다

'흡씨'라서, 손孫이 귀한 집에 태어난 남아男兒라고 증조할
머니가 시렁 위에 올렸단다 태어나자마자 시렁 위에 얹혔던
탓일까 그는 무섬증과 고소공포증에 시달렸다 그래서일까
높은 벼슬을 두고 다투지 않았다

그는 시렁이 되라고 아명兒名이 '실경(시렁)'으로 지어졌다 세
상의 시렁이 되고 다리가 되고 가마가 되라고 하사받은 이름이
'단교丹橋'였다

나는 언제쯤 너에게 붉은 다리 하나 놓아 볼까

* 박주병 님의 「後 自號之辯」 수필에서 모티브를 얻어 쓴 시.

내린다

새벽 다섯 시, 비가 내린다 주방 유리천장을 때리며 비가 내린다 베란다 창문을 흔들며 내린다 거실과 내 방 천장에도 당신의 방 천장에도 내린다 마당에도 수돗가에도 꽃밭에도 내린다 대문 위에도 내리고 우편함에도 가로등에도 내린다 비가 비를 쫓아가며 내린다 태풍을 몰고 내린다 아침까지 바늘처럼 꽂히며 내린다 새벽 다섯 시가 내린다

휠체어에서 당신이 내린다 새벽 다섯 시가 내린다 구부정한 지팡이가 내린다 약봉지가 내린다 장롱에서 당신의 이불을 내린다 숨죽은 베개를 내린다 창틀에 뒹구는 틀니를 내린다 일회용 기저귀를 내린다 가스레인지 위에서 미음을 내린다 수화기를 내린다 암막 커튼을 내린다 당신이 변기 앞에서 바지를 내린다 보일러의 온도를 내린다 현관 바닥에 마른 포도껍질을 쓸어내린다 새벽 다섯 시가 내린다

마음이 내린다 차창 문을 타고 내린다 줄지어 내린다 따로따로 내린다 창틀에 끼어 납작하게 내린다 빨간 장미꽃 위로 내린다 방울방울 내린다 담장을 타고 내린다 장미가시에 찔려 소리치며 내린다 펼쳐 든 우산 위에도 택시 위에도 내린다 뺨을 때리며 내린다 새벽 다섯 시가 내린다 전철 앞으로 뛰어 내린다

>

　기차간에 블라인드를 내린다 열차 칸 선반 위에 올려둔 여
행가방을 내린다 선반에 얹힌 포도송이를 내린다 가는 곳마
다 내린다 내릴 수 있는 모든 것들이 내린다 내릴 수 없는 모
든 것도 내린다 발이 없는 것들이 내린다 새벽 다섯 시가 내
린다

은행나무

건듯 부는 바람에 온몸이 바들바들 떨고 있다
길 가는 사람의 시선을 붙잡는 저 떨림

푸른 기와지붕을 덮고 있는
허리 굵은 은행나무 아래
무수히 떨어져 누운 검버섯 잎새들

한때는 그 나무에서
푸르게 씨를 맺고
열매를 키우며 털며 팔팔했다

똥냄새 난다고
숱한 행인들에게 짓밟히고 차이는 은행들
고약한 냄새 탓에 시에서는
암은행나무 가로수를 죄다 수은행나무로 바꾸려 한다

누렇게 황달에 걸린 얼굴
온갖 약물 주사로도 치료가 되지 않아
가는 바람에도 온몸을 바들바들 떨고 있다

>
온몸에 독 올라 발가벗긴 몸
질긴 연실에 매달린 채
하루 종일 꼭두각시 춤춘다

바다를 보다

그때 K는 실연을 당해
원양어선을 타고 바다로 나갔다

바위와 해안을 때리는 파도를 볼 때마다
대양의 한가운데
고래 등으로 뿜어 오르는 물보라를 볼 때마다
여자의 면사포를 생각했다

가슴에 내린 어둠의 닻을
낯선 이국의 항구에 내리고
저 먼 아프리카나 남아메리카 선창가
여자의 희고 검은 둔부에 자신을 정박시켰다

인천 앞바다에서 태평양까지
방파제에 와서 우는 파도 소리는
그때 K가 대양을 떠돌며 울던 소리다

3부
아내에게 부치는 다산의 편지

희망에게

내 어찌하여 이토록 당신을 사모하게 되었을까요
몇 년째 밤잠을 설치며 열병을 앓고 있어요
길을 걷다가도 일을 하다가도
밥을 먹다가도 잠자리에 누워서도 불현듯 스치고
이 나이에도 뜨거운 사랑이 찾아오다니요
나붓나붓 내게로 다가오는 당신,
정갈한 마음으로 그대 오시기를 기다리고 있어요
마음은 온 산에 달아오르는 가을 같아요
단풍잎처럼 쌓여가는 당신의 그림자
매일 읽고 쓰고 더듬고 흔적을 그러모아요
당신이 처음 찾아온 그때를 떠올리면서
첫 마음은 소중한 기억이에요
기억은 만년필 안에 깊이 담아두어요
만년필과 흰 종이는 우리 사랑을 다 알고 있을 테지요
당신을 쓰고, 당신의 노래가 수백 편이 넘어요
감나무와 라일락이 응원해요 별도 달도 친구가 되어주고요
책 기둥을 붙잡고 살아가는 내게 그들은 등불이지요
마른 은행잎과 단풍잎을 주워 책갈피에 넣어요
열린 가슴으로 당신의 숨결을 느껴보아요
빠진다는 건 미친다는 것, 행복이에요

오늘도 삶의 조각보를 씨줄 날줄 엮고 있어요
열병 중의 열병이에요

늦가을 들판을 바라보며*
— 아내에게 부치는 다산의 편지

조석으로 선득하고 서리가 내리는 이때 잘 지내시오?

백발과 흰 수염은 나보다 먼저 늙어 바람에 날리고 있소.

황금 들판은 농부들의 일손으로 이제 빈 들녘이 되었소.

모든 것 내어주고 황량하게 서 있는 한 선비의 모습 같소.

장기長鬐에 와서 농민들의 생활을 보면서 많은 생각을 하게 되었소.

태산 같은 보릿고개를 넘고 힘들게 일하면서도 가난하게 살아가는 농부들

육신은 고달파도 그들은 육신의 노예가 아닌 마음들이었소.

학연이가 보내 온 수십 권의 의서醫書와 약초 한 상자는 잘 받았소.

나는 시를 짓고 의서를 읽으며 마음공부를 하고 있소.

일전에는 관인官人*의 아들이 내게 이런 청을 하였소.

"장기의 풍속은 병이 들면 무당을 시켜 푸닥거리만 하고 효험이 없으면 체념하고

죽어갈 뿐인데, 공公은 어찌하여 보신 의서로 궁벽한 이 고장에 은혜를 베풀지 않습니까."

그래서 가슴에 묻은 여섯 자식이 생각나 의서를 짓기로 했소.

불쌍한 백성들을 위해 틈틈이 써 오던 의서를 이제 마무리

하게 되었소.

학연이와 학유에게도 양잠하면서도 학문에 힘쓰라고 해 주오.
만약 내가 귀양살이에서 풀리면 같이 책을 고찰할 계획이
니 말이오.
이배된다고 하니 이 글이 장기에서 부치는 마지막 편지가
될 것 같소.
추운 날씨에 부인도 몸 건강하시길 바라겠소. 또 소식 전하
겠소.

신유년辛酉年 10월 장기長鬐에서 쓰다

* 이 시는 사실을 바탕으로 하되 다산의 목소리를 빌어 상상하며 창작한 작
  품임.
** 객관을 지키고 손님 접대를 하는 사람. 김윤규. 다산茶山 장기 유배 문학 산
   책. 포항문화원.

강진에서 새해를 맞이하며*
— 아내에게 부치는 다산의 편지

눈처럼 휘몰아치던 북풍이 장기長鬐에서 강진까지 따라왔소.
옷 속으로 파고드는 찬바람을 벗 삼아 귀양길에 오른 유배
객의 심정,
목청 높여 우는 새소리가 가슴 깊이 파고들고 있소.
부인과 아이들은 이 추위에 잘 지내고 있는지요?

먼 먼 남녘땅 강진, 주막집에 겨우 거처를 정하였소.
이 마을에서 아무도 나를 자기 집에 들이려 하지 않아 주막
집을 잡았소.
집집마다 굳게 닫혀 있는 저 대문은
할 말을 못 하는 유배객의 입처럼 무겁게 다물고만 있소.
행여 빗장을 열기라도 할까 봐 바람은 발자국도 없이 드나
들고 있소.

밤이면 근심은 등나무 넝쿨처럼 자라
홀로 술잔 기울이며 마음을 달래기도 하였소. 그런 밤이면
이웃 아낙들의 다듬이질 소리가 더 크게 가슴을 치기도 했소.
빨라지는 쌍방망이질 소리 들을 때는 부인 생각이 났소.

오늘은 어린 종이 와서 전해 준 아들의 편지를 받고 집 소식

을 들었소.

　부인이 아픈 몸으로 지은 옷과 찰밥까지 보내 주어 미안하고 고맙소.

　살림이 어려워 쇠 투호投壺를 팔았다는 글을 보고,

　학연이와 학유에게 뽕나무를 더 많이 심으라고 종에게 당부했소.

　부인과 아이들에게 할 말이 없소.

　내 걱정은 말고 부인의 건강을 보살피며 잘 지내시길 바라겠소.

　새해에는 우리 가족 모두에게 평화가 깃들기를 기원하오.

　　　　　　　　임술년壬戌年 2월에 강진에서 쓰다

* 이 시는 사실을 바탕으로 하되 다산의 목소리를 빌어 상상하며 창작한 작품임.

그거 다 거짓말이제?

네가 이곳, 평사리를 떠난 지도 몇 해가 지났다.
간다 온다 말 한마디 없이 떠나간 사람,
간밤에 꿈속에서 너를 만난 후 새벽에 마당에 나왔더니
섣달 그믐달이 월선*인 듯 반기더라.
가늘고 고운 눈썹 미루나무에 걸렸더라.

시리도록 차가운 섣달그믐
네가 있을 때는 겨울밤도 따뜻했다.
이지러진 저 달이 내 마음 같아
내일모레면 설날인데
찾아갈 고향도 부모·형제도 반겨줄 자식도 하나 없네.
'평사리 최참판댁'이라는 곳, 네가 있어 정들었던 집이다.
지금 네가 옆에 있다면 같이 도망이라도 가겠는데

강청댁이 네게 패악을 부리고 두들겨 패서 네가 떠난 것을
내가 바보였다. 마누라 단속 못한 내가 미안하다.
나도 별당 아씨와 도망친 구천이처럼 너와 도망이라도 갈 걸
부모님 기일을 누가 차려줄까, 우물쭈물하느라 못난 놈이
되고 말았다.

\>

네가 늙은 삼장사를 따라갔다는 소문,

그거 다 거짓말이제?

설날 오광대놀이 보러 갔을 때, 우리 함께 밤을 보낸

그날 이후, 너를 남처럼 생각해 본 적이 한 번도 없었단다.

내 마음을 몰라주고 왜 너는 원망 한마디 없이 떠나갔나?

너와 나 시절을 잘못 타고나서 이리도 고통을 겪는 것이냐.

언제쯤이면 신분 차별이 없는 세상이 올까?

　함께 살지 못해도 곁에서 보는 것만으로도 행복했는데 내
마음이 칠흑이다.

　간밤에 월선이와 부부가 되어 함께 장난하는 꿈을 꾸었단다.

　아마 좋은 꿈같아 너한테 희망의 편지를 쓰는 것이란다.

　정해丁亥년에는 꿈처럼 다시 만나 사랑을 이루었으면 좋겠다.

　월선아!

　병술년을 보내며 평사리에서 용이가

* 소설『토지』속 인물인 용이가 되어 월선이에게 쓴 편지.

쉰다섯의 순덕이가 열다섯의 순덕에게
— 후배 순덕이를 위하여

그해, 겨울은 참 더디게 지나갔었지. 잔설이 녹지 않은
산비탈, 먹구름이 온통 하늘을 덮고 있었어. 하얀 오후가 빼꼼히
병실 커튼을 열고 들어왔었어. 내 몸속에는 돌 하나 자라고 있었지.

55: 시간이 참 많이도 흘렀다. 이 나이가 되어서야 너를 불
    러서 마주한다. 미안해.

15: 미안하긴. 그땐 엄마 아버지 얼굴 볼 새도 없이 사는 게
    바빴잖아.

55: 너를 생각하면 마음이 많이 저리단다. 그게 네 잘못이
    아니었는데.

15: 지금까지 아무에게도 말 안 했어. 엄마 아버지도 내가
    큰오빠한테 맞은 거 몰랐어. 이유도 없이 학교 가기 전
    에 매일 맞았어. 집은 감옥이고 공포의 도가니였어.

55: 어린 애를 때릴 데가 어디 있다고. 너보다 몇 살 많은
    데 때렸어?

15: 큰오빠는 나보다 열 살이 많아. 제대하고 집에서 같이
    지냈어.

55: 오빠는 무슨, 요즘 같으면 아동학대로 신고하면 처벌
    대상이야.

15 : 아침마다 머리카락이 헝클어지고 **뺨**이 시뻘게지도록 맞았어. 친구들이 몰려다니며 수군거렸어. 중학교 다니는 3년 동안 매일 맞았어.

55 : 엄마 아버지한테 일러주지 그랬냐?

15 : 창피해서, 엄마 아버지는 하루 종일 들에서 사느라 큰 오빠한테 맞는지도 몰랐었어. 동네 사람들이 '들춘이'라 할 정도로 들에 살았었어. 땡볕에 엎드려 참외 순을 땄어.

55 : 너도 참 답답하다. 그렇게 패는데도 참고 있었어? 경찰에 신고하지.

15 : 아침마다 솔가지로 불 때면서 소죽을 끓였지. 불길이 활활 내 얼굴로 달려들면 매캐한 연기에 눈물이 났어. 그리고 참외밭에 가서 거적을 열어놓고 학교에 갔지.

55 : 노는 사람이 좀 하지. 너는 시킨다고 다 하냐? 학교에 가 버리지. 왜 말도 못하고 도망도 안 가고 맞고만 있었어? 바보같이.

15 : 난 바보였어. 가출을 한 번 했는데 하루 만에 잡혀 왔어. '내가 사라지면 되겠구나' 생각했어. 창고에 굴러다니는 농약병이 보였어. 손이 떨렸고 심장이 쿵쾅거렸어. 엄마 아버지 얼굴이 떠올랐고 눈물이 흘러내렸

어. 눈 딱 감고 마셨지.

55: 왜 그렇게 나약한 생각을 했어? 누가 들어봐도 네가 잘
못한 게 없는데 왜 쉽게 목숨을 버리려고 했냐고.

15: 깨어보니 병실이었어. 다음날이 졸업식이었는데, 병
실에서 눈 내리는 겨울 끝자락을 보고 있었어. 그 후,
나는 큰오빠한테 내가 맞아서 농약 마신 일, 덮자고 했
었지.

55: 얼마나 때렸으면 그 어린 애가 못 견디고 죽으려고 했
을까. 네가 죄지은 것도 아닌데 왜 그 일을 덮자고 했
어? 엄마 아버지한테, 다른 오빠들한테도 말했어야지.

15: 그럴 용기도 없었어. 매일 맞다 보니 기가 죽었어. 그
런 내가 싫었지만 참을 수밖에 없었어. 그 후 야간고등
학교 다니면서 번 돈, 세 오빠 대학 등록금으로 생활비
로 다 썼어. 나를 위해 써본 적 없었어. 오빠들 밥해주
며 뒷바라지했었어.

55: 어린 나이에 고생이 참 많았구나. 식구들이 아무도 몰
랐다니 더 마음이 아프네.

15: 큰오빠가 요즘 너를 많이 무시하더라. 덜 배웠다고 막
말하는 거 보고 속상했어.

55: 오십이 넘은 동생을 학력으로 무시한다는 게 얼마나

어리석냐? 학력보다 중요한 건 인간성이라 생각해. 학력만 높고 인성이 바닥이면 무슨 소용 있어? 대학 졸업장만 없을 뿐이지 나도 그동안 오빠들만큼 책도 읽고 공부도 했어.

15: 부탁하고 싶은 말이 있어. 이제부터 너도 할 말 하고 너 하고 싶은 대로 하고 살았으면 해. 지나간 시간은 돌아올 수 없지만, 앞으로의 시간은 네가 주인이었으면 해.

55: 너도 그동안 오빠들한테 엄마 아버지한테 희생만 했잖아. 이제는 하고 싶은 거 하고 살아.

15: 어제 선배랑 얘기하고 나니 많이 시원해졌어. 심장에 박힌 큰 돌이 빠져나간 기분이야.

55: 억눌린 말을 하고 나니 많이 편해졌구나? 다행이다. 무조건 참는 게 능사는 아니야.

가엾은 열다섯이여, 쉰다섯이여!
가엾은 오빠들이여,
지금도 참외밭에 엎드려 일어날 줄 모르는
어미여 아비여!

심장 뛰는 인형

해질녘 그네에서 깨어났죠 저녁놀이 내게 사랑을 넣었나봐요 가슴께에 빛바랜 얼룩이 선명했죠 나는 오늘부터 사랑을 하기로 했죠 가끔 모래바람이 불어도 숨바꼭질처럼 꼼짝하지 않았어요 밤이 되면 바다는 동화를 들려주었어요 푸른 요정을 만난 인형은 사람이 된다고요 나는 꿈을 가졌어요 진짜가 되고 싶었어요

누군가 나를 잠깐 들었다가 내려놓았어요 사랑을 가득 받고 싶었어요 거슬리는 실밥을 없애면 너를 좋아할 거야 바람에게 실끝을 주었어요 왼쪽 팔이 풀려서 약간 덜렁거려요 나는 버림받은 걸까요 아무도 없는 백사장에서 수평선을 잡고 매달렸어요 요정을 만나면 정말 사람이 될 수 있나요? 너는 재활용 수거함에 가야 할 거야 진짜가 아니어서 미안해요 하지만 꼭 진짜가 될게요 제발 날 버리지 마세요

파도가 들이칠 때마다 조금씩 움직였어요 모래밭에 내려와 포말 있는 곳까지 갔어요 바다님, 저를 진짜로 만들어주세요 다시 사랑을 받게 해주세요 해님 달님을 보면서 큰 너울 속으로 잠겼다 떴어요 대륙 너머 무지개다리가 보였어요 차갑고 깊은 잠속으로 빠져들어 갔어요

\>

여기는 어디인가요?
까만 피부의 아이가 나를 끌어안아요
내 가슴에 볼을 가만히 대고 있어요
심장 소리가 나요

늘 꼬랑꼬랑*해서 몰랐지

경자가 내 앞에 갈 줄 우찌 알았겠노. 오늘 새벽에 갔단다. 올해 2월달까지 내캉 카톡을 주고 받았는데 이래 내 앞에 갈 줄 누가 알았겠노. 지금 핸드폰을 보니 두 달 전까지 카톡 주고받았네. 너무 섭섭해서 눈물이 난다. 경자? 올해 팔십 아이가. 보름 전에 내가 전화를 한 번 했거든. 그때 배서방이 받는데, 요 앞에 잠시 나갔심더 카는기라. 그걸 그대로 믿었지. 지금 생각하니 배서방이 거짓말 한 거 같아. 그동안 마이** 아팠던가베. 늘 꼬랑꼬랑했거든. 아이고, 이래 내 앞에 갈 줄 누가 알았시꼬. 참말로 섭섭데이. 마, 내가 가고 나면 갈 끼지, 뭐시 그래 급해 가지고 지가 먼저 가고 그카노.

문자를 얼마나 길게 편지처럼 잘 써서 보냈는지. *작은 이모, 마산에 집도 좋은 가격에 잘 팔아서 맛있는 거 사 잡수시라* 하며 내 걱정까지 하던 것이 이래 빨리 갈 줄 알았나. 경자가 너무 안 됐다. 내가 먼저 가고 차례차례 갈 끼지 마, 경자가 먼저 갔다 아이고, 불쌍해라. 우짜겠노.

얼매나 알뜰한지 이쑤시개를 똑 뿌라 가지고 두 번을 쓰던 사람이다. 늘 내 걱정하고 작은 이모 건강하게 오래 살아야 한다 카던 아가 이래 내 앞에 갈 줄 우째 알았겠노. 경자야, 경자야, 너무 불쌍타. 너무 섭섭데이. 그래, 다음에 또 통화하자 니도 건강해라.

경자야 내는 니가 보낸 문자 보고 있다. **니 문자에 소나무는 오천년을 산다 카는데 백년도 못 사는 게 우리 인생입니더 카더니 그키 빨리 갔나? 경자야!**

* '꼬랑꼬랑하다'는 "늙거나 오랜 병으로 몸이 약해져서 시름시름 자꾸 앓다"의 경남, 부산지역 방언.
** '많이'의 경상도 방언.

횡설수설 꽃에 대하여

초등학교 운동장 한편에 등꽃이 다발다발 달렸다
이 보랏빛 등꽃이 제일 예쁘구나!
선생님이 말할 때
우리는 라일락과 모란과 장미가 되어
선생님이 좋으니까 그냥 등꽃만 예쁜 거 아닌가요?

왜 선생님의 추억은 보랏빛이어야만 했을까

오월이라고 말할 정도라면
곳곳에 늘어진 아카시아여야 하지 않을까
자기 고백적인 꽃은 누구에게나 있는 것이니까

선생님은 말도 탈도 많았던 기억을 등꽃에 겹쳐 보여준다
나는 왜 그 엷은 자줏빛이 위압적이었을까

봄도 탄핵 중이다
민주주의 외치는 시국처럼 꽃들도 색색의 시위 중이다

평이한 꽃도 권력이 지칭하는 순간 상징이 된다
갓길 이름 모를 야생화는 왜 메타포가 되지 못하는 걸까

\>
나는 한 줄의 목소리로 꽃을 밀어 올린다
횡설수설
가지를 휘감으며
각오 하나로 타고 또 타고 나와야 한다

각본대로 영화처럼

난 야행성이다. 새벽 두세 시가 지나야 잔다
직업을 바꾸면서 아침형에서 야행성으로 바뀌었다
'시'라는 친구가 생겼다
그는 참 질기다 도대체 잠을 잘 생각을 않는다
그와 사랑에 빠질 때는 자주 말을 하곤 하는데
침묵할 때는 일주일도 간다 그럴 때 나는 영화를 본다
주로 범죄 스릴러나 환상영화를 보는데
내가 영화를 보는 동안
그가 툭, 툭 말을 걸어올까 밥상을 펴놓고 노트를 펼쳐놓는다
나는 연신 화면을 힐끗거리며
범인이 누군지 살해당한 이유와 배우들 이름을 적기도 하며
범죄의 실마리를 풀었다가 감았다가 바짝 긴장하기도 하
면서
이럴 땐 꼭 내가 범죄영화 쓴 작가 같다
'데이비드 게일'이라는 인권 영화 속으로 들어간다
범인을 잡고 동기를 찾아내고 그들의 손목에 나는 철컥 수
갑을 채우기도 한다
역시, 난 경찰을 했어야 하나, 으스대며 음료수를 마신다
이제 나는 경찰이다
나는 다시 살인의 퍼즐을 맞추고 살인을 위장한 자살을

연구하고

　사형제도 반대 운동을 하다 성폭력 범죄에 살인자로 몰린
데이비드가 된다

　사랑하던 여자는 비닐봉지를 덮어쓴 채 주방에서 쓰러진다

　쓰러진 그녀의 손목에 철컥 수갑이 채워져 있다

　여자에게 봉지를 씌우고 수갑 채운 사람이 누군지를 나는
알 것 같다

　사형집행일 사흘 전, 피의자는 여기자에게 면회를 요청했다

　나는 증거물인 비디오테이프를 수색한다

　그러나 들판을 달리던 승용차가 고장 난다

　초침이 빠르게 돌아간다 비디오테이프를 들고 그녀가 달려
간다

　이 권력을 부수고 살인죄를 씌운 누명을 벗겨야 한다

　나는 손사래 치며 사형장으로 뛰어간다

　한 인간의 운명이 결정되는 시간

　그의 목에 오후 여섯시가 다가오고 있다

　나는 이 영화의 대본을 쓴 사람

　그러나 삶은 모험 속에 각본대로 목숨을 던지는 모험이다

바퀴벌레를 죽이다

놈이 시커먼 옷을 입고 거실 바닥에 송장처럼 뻗어 있다
인기척에 놀라 나를 쓰윽 쳐다보다가
몸을 돌려 저 방으로 기어간다
며칠 전에 갑자기 나타났다 사라진 그놈이다

죽여야 해, 더러운 바퀴벌레
딱딱한 파일로 사정없이 등짝을 내리친다

5초 정도 기절했다
다시 취객처럼 갈지자로 휘청거리다
벌떡 일어나 순식간에 뛰었다 아니 날았다
잡으면 도망가고 사라졌다가 나타나고
동에 번쩍 서에 번쩍
살충제를 찾아 집어 든다

하수도 고장 났다고 해서 왔습니다
설비업체 아저씨가 문을 두드린다
택배 왔습니다. 여기 사인 좀 해 주세요

사라진 것들을 불러들이려고 연막탄을 터트린다

현관문 틈새로 나오는 뿌연 연기 속
비틀거리며 문지방을 넘는 바퀴벌레

더 이상 살려둘 수 없다
얼마나 괴롭히며 피를 빨아먹으려고
손바닥만 한 이 집에 들어왔니
어깨에 메고 있던 가방을 거실에 내려놓고
놈의 시신을 하얀 기름종이로 감싼다

저주받은 생명. 바퀴벌레 같은 것들아

쓰레기봉투에 죽은 그를 던져 넣고 꾸욱
구둣발로 눌러주며 중얼거려본다

검은 암탉

암탉이 울면 알을 낳는다는데 거짓말이었어
엄마는 빈 둥지를 볼 때마다 푸념했어
아버지 약으로 암탉을 잡으려는데 엄마가 좀 더 기다리자
고 했어

구미 인동장터에서 토종닭을 사 왔어
산삼은 아무한테도 자랑하지 말고 드셔야 합니다
토종닭에 산삼 넣고 드시면 내일부터 걸으실 겁니다
찜통에서 산삼 백숙 내가 뚜껑을 들썩이며 끓어 넘쳤어

삶으면 쇠심줄이 되는 폐계
토종닭으로 둔갑한 폐계에 속은 사람들이 많았어
등신같이 폭 속아서 샀구만,
먹을 수도 버릴 수도 없으니 우짜노 이걸
엄마는 닭 모가지를 비틀며 계륵 타령을 했어

당최 속을 보여주지 않는 검은 암탉 한 마리
지붕 위에 선 암탉이
수탉 흉내 내다 목울대가 꺾였어

\>

가족들은 텔레비전을 보면서
질긴 닭고기를 씹느라 입이 아팠어
뉴스에서는 퀭한 눈을 한 폐계들이
닭장차에 실려 가고 있었어
저 많은 닭들을 내일은 누가 씹을까
닭발 닭갈비 닭똥집 닭튀김 닭백숙 닭꼬치 닭 가슴살로,
날개 돋친 듯 팔려나가는 이 시대의 닭들

누군가 지켜보고 있다

09:15 지하철 역사 안에 있는 유리 점포로 그녀가 도착했다. 열쇠를 대자 '경비가 해제되었습니다' 가느다란 음성이 철제 스크롤을 올린다. 사각의 천정마다 네 개의 검은 눈동자가 있다. 매일 지켜보고 일일이 숫자를 기입한다. 컴퓨터 앞으로 간 그녀는 노란색 오리털 파카를 벗는다. 책상 아래 붙어있는 전원스위치를 하나씩 켠다. 매장에 불이 들어온다.

09:30 전화 신호음이 세 번 울리다 끊긴다. 매일 아침 발신음만으로 출근을 확인하는 절차, 그녀는 그가 누군지 알고 있다. 그녀가 창고에서 검정 스커트에 검정 티셔츠, 검정 모직 쟈켓 유니폼으로 갈아입는다. 구석의 카메라는 그 사각에서 꼼짝도 하지 않는다. 그녀가 화장을 시작한다. 화장품 하나를 조심스레 뚜껑을 열고 손가락으로 속살을 눌러본다. 노르스름하고 촉촉하다, 탄력이 있다. 그녀는 조금 도도해진다.

오전 내내 여자 손님 한 명이 들어왔다. 클렌징 티슈의 바코드를 찍고 카드 결제버튼을 눌렀다. 그녀가 그레이 브라운 아이브로우로 눈썹을 그린다. 몸을 돌려 립스틱 코너에서 립스틱을 바른다. 헤어미스트를 뿌린다. 향수를 뿌린다.

>

아직 두 번째 손님은 매장으로 들어오지 않는다. 그녀가 천정을 향해 온풍기 리모컨을 작동한다. 진열장에 빠진 제품을 진열한다. 망고씨드, 미감수 폼클렌징 대용량, 미감수 클렌징 워터 대용량을 채운다.

붙박이처럼 그녀가 POS 앞에 서 있다. 휴대폰을 들여다본다. 그러다 자꾸 카메라를 올려다본다. 그녀가 의자에 올라가 천정 모서리 카메라에 손을 내민다. 당신을 한 번 꺼내볼 수 있을까요? 카메라의 줌이 가늘게 좁아진다. 책상 위 전화벨이 다섯 번째 울리고 있다.

삿갓노숙

시 한 편 쓰기 위해 여러 곳을 돌아다닌다

흑석동 중앙대학교에서 경복궁으로,
남산도서관에서 인천 미추홀 도서관까지
김유정 문학촌에서 영월 김삿갓 문학관까지
영월 '한반도 지형'에서 인제 자작나무 숲까지
정약용 생가에서 포항 장기 정약용 유배지까지

김수영문학관에서 신동엽문학관으로 만해 기념관까지
부산 자갈치 시장에서 보수동 헌책방 골목까지
원주 박경리문학공원에서 하동 평사리문학관까지
섬진강 하동포구에서 광양 매화마을까지
대구 국채보상기념공원에서 제주 4·3 평화공원까지

김삿갓처럼 전국을 돌아다니며 썼건만

잉크 바닥에 누워 자는 나의 시여!

마당만 빌려주소
— 어머니의 시

열여섯 살이었을 때다. 하루는 긴 머리를 쫑쫑 땋아 가지고 머리끝에 빨간 댕기를 드려 우물가에서 물동이를 이고 집으로 왔제. 너그 외할매하고 진달이 고모가 마당에서 무슨 얘기를 하고 있는 기라. 진달이 고모가 누군고 하면 연춘아지매 알제? 그 아지매가 집에 와서 "자이滋伊가 인자 시집보낼 때 다 됐네. 우리 시댁 앞집에 사는 이가 그리 부자고 양반이다. **마당만 빌려 주마 된다** 카이 자이도 인자 시집보내라." 카는기라. 너그 외할매는 "아직 알라(어린아이)를 무슨 시집 보내능교. 택도 없는 소리 마이소."캤는데, 그 아지매가 매일같이 집에 오는 기라. 내 시집오기 전에는 한 마실에 사는 소진달이 저거 고모였고, 시집오니 너그 아부지 항렬에 아지매뻘 되는 일가더만.

너그 할배가 연춘 아지매한테 좋은 처자 중매해 주면 **논 한 마지기 준다** 캤단다. 신랑 될 사람이 공부도 마이 했고 시댁이 그리 부자고 양반집이라면서 아무것도 안 해 와도 되고, **딸만 주고 혼례 올릴 마당만 빌려 주마 된다**면서 사흘도록 찾아온 기라. 너그 외할매와 외할배는 정말 마당만 빌려주면 되는 줄 알고 허락한 기라. 요새 같으면 말도 안 되는 소리제? 그땐 그랬다. 그땐 우리 집도 쌀밥 먹고 살았는데 시집 와서 보이 우리보다 더 부자더라.

너그 외할매가 어디 가서 내 사주를 보이 단명을 타고 났는데, **일찍 시집 보내면 명을 늘인다 캐서** 일찍 시집을 안 보냈나. 선? 그땐 선이 어딨노? 어른들이 결정하면 간 거지. 너그 아부지 선 보고 시집왔으면 내가 왔겠나? 키도 쪼맨하고 얼굴도 못났는데. 언변은 변호사같이 좋더라만. 나는 처자 때 골목에 나가면 사람들이 동네가 훤하다며 양귀비 같다 캤단다.

너그 할매? 내 시집올 때는 살아계셨지. 그때는 결혼하면 바로 시댁에서 사는 게 아이고, 색시 집에서 일 년을 묵혔다가 신랑집으로 신행을 왔는데, 내 신행 오던 그해에 너그 할매가 돌아가셨지. 그래도 살아계실 때 얼굴은 한 번 봤다. 언제 봤냐고? 너그 할매가 사돈집이라고 우리 집에 찾아와서 하룻밤 주무셨는데 그때 봤지.

너그 할매가 마흔에 너그 아부지를 낳았단다. 나는 맏이로 자라서 시건(철)이 일찍 들었고, 너그 아부지는 5남매에 막내로 자라선지 시건이 좀 없고. 그래 열일곱 새색시가 시집을 오니 시어머니는 안 계시고 나보다 **열아홉**이나 많은 청춘과부 맏동서가 있대. 고추보다 매운 시집살이를 안 했나. 너그 할아버지는 나를 볼 때마다 "맏며느리와 바뀌었으면 좋겠다, 점잖고 시건이 들었다."고 했다. 그때마다 "아버님, 형님 앞에선 제 칭찬하지 마시이소. 맏며느리 앞에서는 맏며느리 좋다 카고 칭찬하시이소. 그래야 형님이 아버님 좋다 캅니다."
캤다.

새색시 때 하루는 할배가 너그 아부지와 나를 앉혀놓고 "그동안 어떻게 살림을 일궈왔는지 말해주겠다."면서 젊었을 때 이야기를 하시는 기라. 너그 아부지 태어나기 전에 죽은 형이 하나 있었단다. '석현이'라고. 할매, 할배가 얼마나 부지런했는가 하면, 잡초가 많고 홍수가 나서 농사가 안 된다고 남들이 버린 땅을 아주 싸게 산 기라. 그런 땅을 풀을 뽑고 밭을 만들었단다. 하루는 잠자는 알라 머리맡에 뻥튀기를 한 바가지 놓고 두 분이 새벽같이 집 앞에 있는 올비 밭에 잡초를 뽑으러 가셨단다.

해가 뜨니 집으로 왔는데 알라가 없다는 거야. 몇 살? 세 살이었단다. 두 분이 온 동네를 뒤졌는데 없어서 동네 청년이 모두 나서서 사수재로 해서 와룡산까지 뒤졌다는 기라. 그때는 호식虎食이 당하던 시절이라 골짜기마다 마을 사람들이 사흘 낮밤을 찾아다녔는데 못 찾았단다. 나흘째 되던 날, 집 앞에 있는 못에서 떠오르더란다. 그 질긴 올비 뿌리를 캔다꼬 알라가 물에 빠진 줄도 모르고 살림을 모았단다. 올비? 뿌리가 하얗고 달삭한 게 맛있는데, 얼마나 질긴지 이틀만 안 뽑으면 어른 허리만큼 올라오는데, 잘 번지는 기라. 그때는 제

방이 없어서 비만 오면 물에 잠기니 더 잘 컸지.

너그 아부지 이름이 석현이가 된 것도 그때 죽은 형 이름을 써서 그렇단다. 할배가 너그 아부지 네 살이 될 때까지 출생신고를 안 했단다. 그때 면서기로 일하던 너그 큰아부지가 "죽은 사람 이름을 자꾸 부르면 재수 없다, 얼른 출생 신고해라." 해서 할배가 출생신고 했단다. 그래서 너그 아부지가 내보다 네 살이나 많은데도 호적에는 1937년생, 동갑으로 되어 있지. 큰아들은 전쟁 통에 잃고 너그 아부지가 외아들이 된 격이지. 그렇게 자식을 잃다보이 내가 아들을 넷이나 낳았더니 그래 좋아하셨다. 할배가 맏며느리한테서는 손자를 하나도 못 봤지. 너그 큰엄마는 아들 셋을 키우다가 어릴 때 다 잃었지. 몰라. 친정에만 갔다 오면 잃데. 딸 하나만 살아서 키웠지.

어디선가 뻐꾸기 소리가 들린다. 벽에 걸린 뻐꾸기시계가 열 번을 친다. 대숲에서 서걱서걱 댓잎이 몸 부비는 소리 들린다. 밤 비행기가 불빛을 반짝이며 지나간다.

홀로 지는 집

너른 뜰 빈 꽃밭 가득
서늘하게 피어난 달빛

낡은 마루에는 적막이 걸터앉아 꾸벅이고
댓돌 위에는 털신 한 짝 뿐

무릎이 시린 밤바람,
대문 빗장을 풀고 마당에 들어서면
처마 끝에 울고 있던 굴뚝새
뚝, 뚝, 소리를 끊는다

늙은 모과나무를 끌어안고
향기가 사라진 빈집

귀퉁이가 허물어진 달빛
아래
홀로 지는 집

4부
십 리 부엌 길

입덧을 하는데

복숭아가 그렇게 먹고 싶은 기라. 그땐 너그 큰엄마 밑에서 시집살이할 땐데 너그 큰엄마가 얼마나 구두쇤지 돈을 줘야 말이지. 일은 그렇게 식모, 머슴 부리듯이 하면서 곳간에 살림은 한 톨도 안 맡기는 기라. 할배가 청춘과부 맏며느리 어디 살러 가기라도 할까 봐, 양반 체면에 동네 넘사스럽다고 그 많은 재산을 전부 너그 큰엄마한테 다 넘기고. **너그 아부지를 농사짓고 살라고 붙들어 놓은 기라.**

할배한테 아들이 둘이 있었는데 큰아들을 난리 통에 잃고 너그 아부지한테 농사를 다 맡겼으니, 너그 공부 때문에 내가 아무리 대구 시내에 나가서 장사라도 하고 살자고 해도 할배가 못 나가게 하니 우짜노. 그냥 땅만 파며 살았제. 그래 첫 애를 가져서 그렇게 입덧을 했는데 이맘때쯤 되었겠네. 복숭아가 먹고 싶은데 돈이 있어야 사 먹제. 그렇게 입덧을 해도 과일 하나 사 줄줄 모르는 기라 너그 큰엄마가. 그래, 하루는 너그 아부지한테 말을 했더니 너그 큰 엄마 몰래 곳간에 가서 쌀을 한 말 퍼 낸 기라. 그걸 동네 방앗간에 가서 팔아서 복숭아를 사 먹었는데 집에서 먹을 수가 있나. 너그 큰엄마는 윗 채에 살았고, 우린 아래채에 살았으니까. 청춘과부 값을 하니라꼬 신랑각시 자는 거 까지 다 문 앞에서 엿듣는 사람이었으니, 얼마나 시집살이를 했겠노. 그래 너그 아부지가 사 온 복숭아를 집에서 먹으면 들킬 거 같아서 **뒷산 야트막한 산에서 몇 개 먹고 내려왔제.** 남은 복숭아는 방안에 있던 사과 궤짝에 넣어서 감춰놨는데, 산에서 저녁 하려고 집에 오니 너그 큰엄마가 **누가 복숭아를 이리 사다 먹었노?** 고래고래 소리를 지르며 **마당에 황도야 백도야 패대기를 쳐놓은 기라.** 열아홉 새색시가 시집살이를 얼마나 했는지, 너그 큰엄마? 큰엄마는 내 시집 올 때 서른여섯이었는데, 말도 마라 시어머니 없는 시집살이, 청춘과부 동서한테 다 했다. 그렇게 아까워하고 돈도 한 푼 안 주던 할마시가 죽을 땐 아까버서 우예 죽었겠노. 야야, 저기 냉장고에 복숭아 하나 가주 오너라. *야야, 이것 좀 봐라, 이 백도가 흘리는 눈물 좀 봐라.*

꽃을 중얼거리다

꽃을 무척이나 좋아하던 당신
꽃밭에서 딴 까만 꽃씨 하나
입속에 키웠다

당신이 입을 열면
봉긋봉긋한 목련, 빨간 튤립, 진달래꽃
활짝 피어난다

올해는 우리 집 꽃밭에 많은 꽃이 피었다
담장 위에 걸쳐 피어난 하얀 목련꽃 보고
흰옷 입고 산으로 이사 간 외할머니를 부르는
허연 천을 두른 외할머니 담 넘어 온다고

머리에 커다란 벌레가 기어 다니는 것 같다

초롱초롱한 엄마의 기억을 쪼아 먹는 새 한 마리
겨울 외투보다 두툼한 엄마의 약봉지

자줏빛 멍든 튤립, 보랏빛 작약
담장을 쳐다보고 '엄마 꽃'을 읊었다

깊은 골짜기를 타고 흐르는 눈물

엄마는 입속에서
보랏빛 작약과 흑장미를 많이 키웠다
읊어대는 꽃의 마디마디에
자꾸만 멍이 들었다
읊어대는 나무의 마디마디에
자꾸만 검은 옷을 입혔다

뿔

어둡고 눅눅한 부엌 구석
사방에 비닐이 둘러쳐진 방은 암흑이다

하루, 이틀, 사흘, 일주일
너는 보름이 지나도록
내 방문을 열어보거나 이름 한 번 부르지 않는다
나는 컴컴한 방 안에서 까맣게 잊혀 갔다

몸에서 붉은 반점이 나자 뿔이 나기 시작했다
나는 갇힌 채 서서히 말라가고 있었다

갇혀서 지낸 지 보름
몸은 물러터지고 있었다
비닐봉지를 덮어쓰고 생매장당한 채로

터져버리지 않으면 죽어버리는 것
이럴 바에야 독이라도 품어야 할까

푸른 독이 오르고 뿔이 자라고
짓무른 몸에서 싹이 돋기 시작했다

>

주먹만 한 작은 몸
감자는 독과 싹을 품고 있었다

육전을 하던 날

사내는 그날도 뱀술을 먹고 독사가 되어 있었다
추문의 꼬리를 끌고 기어들어와
아가리를 벌렸다

거실 바닥에 칼 한 자루 꽂고 겁박했다

추석날 오면 재산포기각서에 연놈들 도장 다 받아놓으란
말이야. 여기 내가 쓴 글 다 보이지?

추석 명절날,
육전을 하려고 쇠심줄을 썰어내다가
손가락을 베었다

하얗게 드러난 뼈마디
눈물은 나지 않았다

독한 독사의 혓바닥
핏줄 하나 잘라내고 가만히 돌아섰다

들쥐의 모작模作

친정 가는 서재리 입구 현수막에
두 편의 시가 나란히 붙었다
내가 쓴「아버지의 유산」과
큰 올케가 쓴「땅콩밭에서」이다
은행나무 옆에서 원조 싸움하듯
으르렁거리고 있는 자식들,

신천대로에서 서재리 금호강변까지
남녀노소 없이 나와서 구경하고 있다

밭둑에서 강둑으로 호미 들고
금호강에서 거랭이 들고
누런 헛기침에 땅뙈기까지
들쥐 같은 큰 올케가 싹싹 긁어갔다니

「아버지의 유산」을
Ctrl+c에 Ctrl+v*한 들쥐
말라빠진 몸땡이에 간덩이가 크다

알맹이는 떠내려가고

모래밭에 조개껍데기만 수북하다
알곡들은 다 파내 가고
땅콩밭에 지린내 밴 껍데기만 홍건하다

세밑 찬바람에 아버지의 유산이 떨어진다
뻴짓하다 놀란 들쥐 한 마리
서재리 시장통 시궁창으로 도망간다

* 'Ctrl+c'는 복사하기, 'Ctrl+v'는 붙여넣기.

아내

열두 자이던 장롱이 여덟 자로 갈강갈강해졌다

이사할 때마다 벽에 부딪히고
모서리에 찍히고 긁혔다

장마철 물난리에 퉁퉁 불은 그대여
내려앉은 서랍조차 팡파짐하구나

처음 봤을 때는
뺨에 피는 부끄럼처럼 연연했다
그러나 아양스러운 날들은 계속되지 못했다
갈수록 오종종한 몸과 걸걸한 문짝 같은 목소리가
내게 왁실거렸다

몇 번의 곡절에도 꿋꿋하게 버텨온 그대여
마음을 담았던 옷장 한 칸이 부서졌구나

윗목을 그토록 지켜온 몸이 반쪽이다

남들은 버리라지만 버리지 못한다

버리지 못해서 버리지 못할 정이 들었다

구석구석 삭아진 아내여

그 집에는 목련나무가 산다

늙은 목련나무가 가지를 내려 황구의 목줄을 풀어준다
나무속에서 소리가 울려 나온다
승합차 한 대가 마당 가운데에 들어선다
컹, 컹, 컹
그가 차 문에서 내리자 그제야 꼬리를 흔든다

휠체어가 젖은 엉덩이를 태우고 집안으로 밀려간다
매일 태우러 올게요, 걱정하지 마세요
원장은 황구에게 채운 목줄을 벚나무에 걸어놓는다

이제 매일 아침 황구와 통원하는 그,
목련나무는 밤마다 다섯 손가락처럼 가지를 뻗는다

휠체어는 무거운 다리가 안쓰러웠을까
황구야, 나하고 오래오래 살자. 이젠 밤이 안 무섭구나
뒷산의 샛길이 앞서 선산의 가묘假墓 자리에 가 있다

함박눈이 툇마루에 걸터앉는다
눈밭에 서 있던 매화나무가 방울방울 맺혀있던 불을 켠다
까치는 한 가지씩 말을 물어다 주었다

잔기침이 날 때마다
밤새 안방에서 뒤척이는 텔레비전
두근두근 벽시계 소리
대문이 찬바람에 들썩이는 소리

목련나무는 겨우내, 그 집의 온기를 귀로 듣고
봄이 되어서야 연분홍 차도差度를 흘려주었다

ㄱ소리

개자식이다 개망나니다 개판이다 개차반이다
개무시다 개 팔자 상팔자 개풀 뜯는 소리다 개뻘쭘하다
개 코도 없는 주제에 개털 됐다 개호랑말코 같은 놈이다

이유 없는 분노가 개를 살리고 죽인다
'개' 머리 하나만으로도 욕은 충직하다

먼 산이 컹컹 짖는 날은
빈집이 허기진 날이다

오지에서 혼자 사는 병든 노인처럼
오매불망 주인밖에 모르는 늙은 개처럼
죽을 때까지 같이 살자, 함께 살자

바짓가랑이를 사정없이 물어뜯는 저 소원,
개같이 사는 일이 얼마나 믿음직스러운가

벼락 맞은 고목은 짚 가마니 속
새까맣게 탄 그것이다

>
우우우 붉게 우는 동백꽃
엎어져 킁킁거리는 민들레가
봄에 바짝 붙어 있다
나를 지키기 위해 헐떡거리는 시간이다

사람들아, 개만큼만 짖어라!

낙상 詩

새벽 두 시, 비몽사몽간에

쿵!

하현달이 창틀로 낙상했다

신음처럼 달빛은 책상을 싸안았다

가장 먼저 떠오른 문장이다

아픈 구름이 능선에서

엉. 거. 주. 춤. 한다

40킬로미터의 직유가 시작되고 있다

삭정이 같은 불면 속에서

그림자가 화드득 자라난다

>

내게로 내려앉은 어머니의 뼈 두 마디

비틀려진 詩가 아련히 들려온다

가을 햇살

어젯밤에는
얼음이 얼었어요
당신에 대한
화살처럼 지나가는
시간

저물어 가는 가을이
내 방 창문을 살며시 열어 봅니다
창문에 어리는 얼굴 하나 있습니다

밤새 꽁꽁 언
단풍나무 이파리
전날의 한기를 걷어내고 있는 시간

마시던 커피의 온기로
내 마음의 얼음조각은
어느새 물빛처럼 반짝거립니다

몸에게

너를 너무 소처럼 부렸다
일 년 내내 쉬는 날도 없이
공휴일도 없이 일만 시켰다
불평 없이 잘 따라주던 너였기에
부러지고 쓰러진다는 생각을 못 했다

가끔 초원 위에 팔베개하고 누워
흐르는 양떼구름을 보며
빙글빙글 쉬어 주었으면
부러지지 않고 잘 휘어졌을 텐데

네가 주인 잘못 만나 몸살이 많다
돈 많고 뼈 세고 줄도 튼튼한
그런 주인 만났더라면
편하게 살다 갈 텐데

너를 위해 동네 느티나무 아래
빈 의자 하나 내어놓지 못했다

노란색 신호등이다 쉬었다 가자
몸아,

십 리 부엌 길
― 사친별곡 2

엄마가 입을 열면 붉은 꽃 시詩 쏟아지네

쪼록쪼록 내 뱃속에 밥 들어오라고 소리 하네*
밥 찾으러 부엌에 가는 길, 십 리보다 더 멀구나

자식이 다섯 있다 한들 무슨 소용 있겠는가
전화하는 놈 한 놈 없고 전화하면 한 놈 받네

밥 차려 줄 놈 한 놈 없고 같이 살 놈 한 놈 없네
세월이 더럽구나 세월이 더럽구나

병든 영감 수발하다 내 등뼈가 활이 됐네
갈 곳이란 요양원뿐 이 내 신세 처량하다

자식들을 키울 때는 논 팔아서 공부시켜
죽을 동 살 동 일하느라 주름 느는 줄도 몰랐다

부귀영화 보겠다고 허리끈 바지끈 졸라매고
내 허리가 다 굽도록 일만 하고 일만 했다

>

지 에미는 안 중하고 지 자식만 중하구나
지 애비는 안 중하고 지 계집만 중하구나
세월이 변했구나 세월이 변했구나

이슬비 뿌려가며 시詩를 매일 키우시네
글썽이는 봄날에 나도 시를 짓고 있네

* 말년에 부르시던 어머니의 노래를 받아쓴 시.

저녁상
— 사친별곡 3

딸깍딸깍 대는 소리 저녁상 차리는 소리

집에서도 침대에 눕실이 되어 누웠고
요양센터 가서도 눕실이 되어 누웠네
침—대 뺏길까 봐 누워서 들어보니
딸깍딸깍 대는 소리 저녁상이 들오겠네

앞문 열면 앞산 보여 뒷문 열면 뒷산 보여
오두막이든 기와든 내 집이 그립네
대궐 같은 집을 두고 요양센터 웬 말이고
이마에 손 얹고 기다리는 사람 없지만
내 집이 그립네 내 집으로 가고 싶네

딸깍딸깍 대는 소리 저녁상이 들어오네
째깍째깍 대는 소리 시계바늘 가는 소리
시간만 기다린다 시계만 쳐다본다
내 집으로 가고 싶네 우리 집에 가고 싶네

돈이 없어
― 사친별곡 4

돈이 없어 돈이 없어 내 주머니에 돈이 없어*
아파서 죽겠기에 죽을 만큼 아팠기에
맏아들을 불러놓고 통장하고 금붙이를 다 주었네

주머니가 비었다고 몇 번이나 노래해도
돈 채워 줄 자식은 한 번 올 줄 모르네

밥도 못 해 먹는 이 몸,
무엇 하나 내 뜻대로 할 수 없어
저기 절로 도망을 쳐 버릴까
내가 가면 걷지도 못하는 영감
밥은 누가 차려줄꼬 똥오줌은 누가 받아낼꼬

돈 없으니 기가 죽어 돈 쓸 일이 더 많구나
손자가 와도 돈 한 푼 줄 수 없고
토마토가 먹고 싶어도 살 수도 없네
빈 주머니를 열 번이나 열어봐도 돈 한 푼 안 보이네

* 말년에 부르시던 어머니의 노래를 받아쓴 시.

어머니의 비가悲歌
— 사친별곡 5

거실에서 앞산 보며 가락을 뽑고 있다
흐느적대며 끊겼다가 이어지는 면발이다

샛별같이 밝은 눈이 반 봉사가 되었구나
명 짧다고 우리 엄마 열일곱에 시집보내
온갖 풍파 다 겪으며 시집살이 겪어왔네

사자님아 사자님아, 나는 언제 데려갈래
내 나이 올해 칠십아홉,
모진 목숨 죽어지지도 않고
가고 싶다 가고 싶다 저승길로 가고 싶다

토지문화관에서*
— 묘지 옆에서

창작실 입실 첫날,
새벽 네 시에 천둥과 번개가 쳤다

누구의 울음이었을까

장마철도 아닌
시월 첫날에
울어대는 저 통곡소리

다섯 시에는 고요했다
사방이 깜깜했다
새소리도 풀벌레 소리도 없었다
먼 이웃에서 닭 우는 소리

묘지 옆에서의 하루
산 자와 죽은 자가 20m 반경에서 잠을 잔다
산 자는 땅 위에 누워 있고
죽은 자는 땅속에 누워 있다

무덤 옆 오솔길 계단을 오르내릴 때마다
부모의 묘지를 생각한다

* 이 시는 2021. 10. 토지문화관에서 창작한 작품임.

나는 그 사람이 아프다

— 정여운 시집 『녹슨 글라디올러스』 읽기

오민석 문학평론가·단국대 교수

나는 그 사람이 아프다
― 정여운 시집『녹슨 글라디올러스』읽기

오 민 석 문학평론가·단국대 교수

I.

보이지 않는 자성을 읽어내는 나침반처럼 문학은 세상의 상처를 민감하게 잡아낸다. 문학의 바늘은 세상의 어두운 곳, 망가진 곳, 아픈 곳, 부끄러운 곳을 지날 때 바르르 떨린다. 문학은 여기가 아픔의 진원이라고, 저기가 결핍의 장소라고 가리키는 신호―언어이다. 문학은 겉으로 완벽한 것처럼 뻐기는 세상의 속살을 드러냄으로써 가짜 담론에 저항한다. 문학은 아픈 곳이 지혜의 우물임을 안다. "지혜로운 사람의 마음은 초상집에 가 있고 어리석은 사람의 마음은 잔칫집에 가 있다."(「전도서」)는 말은 그대로 문학의 지도地圖이다.

롤랑 바르트R. Barthes는 "그의 고통이 내 밖에서 이루어지는 한, 그것은 나를 취소하는 거나 다름없다."(『사랑의 단상』)고 하였다. 바르트는 이 전언이 나오는 장의 제목을 "나는 그 사람이 아프다"라고 붙였다. 타자의 아픔에 대한 공감 혹은 통감은 모든 사상과 예술의 기원이다. 아픔과 결핍의 타자에 관한 관심이 없다면, 예술−언어는 탄생하지 않았을 것이다. 정여운 시인도 세상의 통증에 민감하다. 그중에서도 그녀가 가장 민감한 촉수를 들이대는 것은 바로 어머니의 아픔이다. 이 시집의 압도적 다수의 시편이 어머니를 직접적으로 건드리고 있다. 정여운에게 어머니는 이 세상의 통증의 출발점이다. 그녀의 언어는 어머니의 통점을 지날 때 가장 심하게 떤다. 그 떨림은 정여운 시의 기원이며, 그녀의 애정이 부챗살처럼 세상으로 번져가는 꼭짓점이다.

새벽 두 시, 비몽사몽간에

쿵!

하현달이 창틀로 낙상했다

신음처럼 달빛은 책상을 싸안았다

(…)

삭정이 같은 불면 속에서

그림자가 화드득 자라난다

내게로 내려앉은 어머니의 뼈 두 마디

비틀려진 詩가 아련히 들려온다
　　　― 「낙상 詩」 부분

　　이 작품은 정여운의 시 세계와 그녀의 어머니가 맺고 있는
상관관계를 잘 드러내 준다. 그녀에게 어머니는 "비몽사몽간
에" 나타나는 존재이다. 즉 그녀에게 어머니는 무의식의 바
닥에서 치고 올라오는 존재이자 전의식을 넘어 의식에 출몰
하는 존재이기도 하다. 그녀에게 어머니는 마치 하늘에서 달
이 떨어지듯이 나타난다. 그것은 충격처럼("쿵!") 그녀의 작
업 공간인 "책상"으로 떨어진다. 시인에게 책상은 시를 쓰는
자리이고 그 위에 어머니는 "낙상"한 "하현달"의 모습으로 방
문한다. 어머니는 그녀의 예민한 촉수를 건드려 시를 쓰게 하
는 존재이다. 마치 어떤 절실한 바람이 가야금의 현을 울리듯
그녀의 어머니는 넘어져 다치며("낙상") 그녀의 시혼詩魂을
흔든다. 이때 어머니의 속성은 "신음"으로 요약된다. 그녀에
게 어머니는 아픔이자 고통이며, 결핍이자 인내의 존재이다.
어머니의 고통은 시인에게 그대로 감염되어서 시인은 "삭정
이 같은 불면"에 시달린다. 그 말라 죽은 가지 같은 황량한 시
간에 어머니의 "그림자"가 자라나고, 어느 순간 그녀에게 "어
머니의 뼈 두 마디"가 내려앉는다. 이렇게 그녀를 찾아온 어
머니의 뼈마디가 그녀에게는 시, 즉 "비틀려진 詩"이다. 그녀

의 시는 이렇게 어머니가 아프게 쓰러진 자리에서 시작되므로 "낙상 詩"이다.

> 엄마가 입을 열면 붉은 꽃 시詩 쏟아지네
>
> 쪼록쪼록 내 뱃속에 밥 들어오라고 소리 하네
> 밥 찾으러 부엌에 가는 길, 십리보다 더 멀구나
>
> (…)
>
> 이슬비 뿌려가며 시詩를 매일 키우시네
> 글썽이는 봄날에 나도 시를 짓고 있네
> ―「십 리 부엌 길 – 사친별곡 2」부분

시인의 각주에 의하면 두 번째 행은 "말년에 부르시던 어머니의 노래를 받아쓴 시"이다. 시인에게 "어머니의 노래"는 이미 시이다. 시인은 이미 시가 된 어머니의 노래를 받아쓰는 자이다. "엄마가 입을 열면 붉은 꽃 시詩 쏟아지네"라는 진술을 보라. 시인에게 어머니는 지상 최대의 뮤즈이다. 시인은 어머니–뮤즈를 불러내 그녀의 말을 받아 적는다. 이 상호텍스트성 때문에, 위 시에는 복수 화자dual narrator가 등장한다. 첫 번째 행은 시인의 목소리이고 두 번째 연은 어머니의 목소리이다. 시인에게 어머니는 무엇보다 '배가 고픈 자'이다. 어머니는 끝없는 허기에 시달리고("쪼록쪼록 내 뱃속") 그녀의 허기를 채워줄 "부엌"은 멀기만 하다. "밥 찾으러 부엌에 가는 길"이 "십 리보다 더" 먼 현실 속에서 어머니는 식구들의 배를 채우기 위해 과도한 노동과 헌신의 세월을 보냈다. 중략된 부분엔 그것에 합당한 대접을 받지 못하는 어머니가 자신의 신세를 한탄하는 대목이 나온다. 시인은 눈물이 "글썽이는 봄날"에 그것을 받아쓴다.

> 샛별같이 밝은 눈이 반 봉사가 되었구나
> 명 짧다고 우리 엄마 열일곱에 시집보내
> 온갖 풍파 다 겪으며 시집살이 겪어왔네
>
> 사자님아 사자님아, 나는 언제 데려갈래
> 내 나이 올해 칠십아홉,
> 모진 목숨 죽어지지도 않고
> 가고 싶다 가고 싶다 저승길로 가고 싶다
> ─「어머니의 비가悲歌 ─ 사친별곡 5」부분

이 작품에서도 우리는 두 명의 화자가 주고받는 서글픈 노래들을 들을 수 있다. 첫 번째 연에서 시인이 어머니를 소개하면, 두 번째 연에서는 어머니가 등장해 자신의 이야기를 한다. 4·4조의 타령은 슬픈 민요처럼 모녀의 이야기를 실어 나른다.

II.

정여운 시인에게 슬픔과 아픔의 기원은 어머니이다. 어머니에게서 발원된 시의 물줄기는 다른 아픔과 슬픔을 찾아 흐른다. 시인은 수많은 '그들'의 아픔과 슬픔을 함께 아파하고 슬퍼하며 받아적는다. 그녀의 귀는 아픔의 종소리를 향해 열리고 그녀의 눈은 고통의 풍경에 가서 멎는다. 고통의 현이 울릴 때 그녀의 언어가 함께 울린다. 그녀의 시는 이렇게 두 개의 음파가 서로 스미고 엮여서 이루어진 화음이다. 그 음계마다 고단한 삶의 배후가 노을처럼 걸려 있다.

글라디올러스가 요에 붉고 노랗게 피어 있었다

죽을 때가 되면 안 하던 짓을 한다카더마는 인자 너그 아부지가 죽을랑갑다
오줌 싸는 것도 모자라서 피똥까지 싸니 내가 죽을 지경이다

등 굽은 노모 입에서 맵찬 바람이 불었다

꽃밭에 키 큰 측백나무 두 그루가 누렇게 말라가고 있었다
어머니는 채송화와 제비꽃에 물을 주고 있다

사방으로 흩어진 스테인리스 양푼이에 아버지의 오줌이 찰랑거렸다

오줌통을 턱 밑에까지 갖다 줘도 와 맨날 그릇에다 오줌을
싸노 말이다
　내가 너그 아부지 오줌을 먹은 게 한두 번이 아이다

　방 안에서 벽지만 뜯고 있던 아버지는 엉덩이로 꽃동산을
만들었다

　이게 뭐꼬? 고마 죽으면 편할 낀데,
　자는 잠에 가야 될 낀데 너무 오래 살까 봐 걱정이다
　너그 아부지 두고 내가 먼저 죽으면 천덕꾸러기 되는데 우짜노

　어머니는 침대 머리맡에 족자를 걸어놓고 매일 염불처럼
외웠다

　千 자리 萬 자리 내 침수寢睡에 맞는 자리
　황금을 뿌린 자리 불보살님 닿는 자리
　이내 일신 갈 적에는 좋은 날 좋은 시에
　자는 잠에 고이 가게 하시옵소서

　이따금 찬바람이 와서 마당을 쓸어주고 갔다
　뜰아래 꽃들이 쿨럭쿨럭 기침을 했다

　글라디올러스가 요에 붉고 노랗게 피어 있었다

― 「녹슨 글라디올러스」 전문

　앞에서 살펴본 "사친별곡" 연작시처럼 이 작품도 시인과 어머니 사이의 이중창으로 이루어져 있다. 고대 비극에서 코러스가 상황 설명을 하면 배우가 등장해 연기를 하는 것처럼, 시인은 어머니가 처해 있는 상황을 설명하고 어머니는 자신의 대사를 읊는다. 인지 능력을 완전히 상실한 아버지와 그를 간병하는 어머니의 서사를 이 작품은 시적 상징을 동원해 극사실적으로 그리고 있다. 표제작이기도 한 이 작품에서 시인은 어머니의 고통에 이어 아버지의 늙음과 고통으로 시선을 확장한다. 아버지의 병은 어머니의 고통을 가중하고 둘의 고통이 겹친 무대 위에서 비극은 "글라디올러스"처럼 붉고, 처참하다. 치명적인 열정의 붉은 색은 죽음의 징후로 변하고, "녹슨 글라디올러스"는 자신을 통어할 능력을 상실한 치욕스러운 노년의 모습을 보여준다. 그 위에서 그려지는 것은 죽음의 그림밖에 없다. 어머니는 "자는 잠에 고이 가게" 해달라고 빈다.

　　꽃을 무척이나 좋아하던 당신
　　꽃밭에서 딴 까만 꽃씨 하나
　　입속에 키웠다

　　당신이 입을 열면
　　봉긋봉긋한 목련, 빨간 튤립, 진달래꽃

활짝 피어난다

(…)

엄마는 입속에서
보랏빛 작약과 흑장미를 많이 키웠다
읊어대는 꽃의 마디마디에
자꾸만 멍이 들었다
읊어대는 나무의 마디마디에
자꾸만 검은 옷을 입혔다
—「꽃을 중얼거리다」 부분

어머니의 머릿속엔 늘 죽음이 어른거린다. 글라디올러스
가 '정열'에서 '죽음'의 기의를 바로 갈아타듯이, 엄마의 입속
에서 시처럼 쏟아져 나오는 아름다움의 기표("꽃")엔 "자꾸
만 멍이" 들고 "검은 옷"이 입혀진다. 고통의 끝에 있는 자에
게 죽음은 소망이 된다. 어머니는 "고마 죽으면 편할 낀데"라
는 말을 입에 달고 지내며 형형색색의 꽃들에 죽음의 색을 입
힌다.

III.

세계는 가난과 절망과 고통의 도가니이다. 그러므로 결핍

을 감추는 자는 희망을 이야기할 수 없다. 진정한 희망은 절망의 밑바닥을 치고 올라온다. 바닥까지 내려가 보기는커녕 마치 아무 일도 없다는 듯 태연한 제스처를 취하는 자에게 건강한 미래는 없다. 문학과 예술이 세상의 아픈 곳에 주목하는 것도 바로 이런 이유 때문이다. 슬픔을 감지하지 못하는 자는 기쁨을 누릴 수 없다. 기쁨은 단독이 아니라 기쁨/슬픔의 이항 대립 속에 존재한다. 정여운 시인이 고통을 탐지하는 것은 고통 너머의 세계를 꿈꾸기 때문이다.

그녀에게 어머니는 슬픔의 샘물이고 아버지와 세상의 다른 슬픔은 그것의 지류들이다. 이 시집에는 그렇게 많은 결핍과 아픔과 슬픔의 기록들이 존재한다. 정신병원에 갇혀 있는 사람(「백장미」), 이별의 통보를 받고 자살을 시도한 청년(「스물한 살」), 저수지에 빠져 죽은 여자(「대어 낚시」), 재산을 독차지하려는 한 남자와 그 가족(「육전을 하던 날」), 유배 생활을 하며 가족을 그리워하는 남자(「아내에게 부치는 다산의 편지」 연작), 무당의 딸로 태어나 사랑을 이루지 못하는 여자(「쉰대부채춤」), 천한 신분으로 사랑을 잃은 남자(「그거 다 거짓말이제?」), 어려서 큰오빠에게 상습적인 폭력에 시달리다 농약을 마신 적이 있고 이제는 중년이 된 여인(「쉰다섯의 순덕이가 열다섯의 순덕에게—후배 순덕이를 위하여」), 스물일곱에 불에 타 죽은 여자(「스물일곱 새알」). 치매에 걸려 자신을 못 알아보는 어머니를 돌보는 딸(「치매에 갇히다」). 이들은 모두 세상의 슬픈 사연들을 담고 흐르는 서사들이다. 슬픔의 주체들은 차마 말을 하지 못한다. 이들의 서사는 시인의 입을 통해서 대신 말해진다. 그러므로 시인은 타자의 슬픔을 대신 울어주는 곡비哭婢이다. 시인은 세상의 슬픔을 감지하고 울음의 진원을 찾아가 그것과 하나가 되어 함께 운다. 그녀가 울 때, 세상의 슬픔은 위로받으며 비로소 슬픔 너머의 세상을 꿈꿀 수 있게 된다.

15: 아침마다 솔가지로 불 때면서 소죽을 끓였지. 불길이 활활 내 얼굴로 달려들면 매캐한 연기에 눈물이 났어. 그리고 참외밭에 가서 거적을 열어놓고 학교에 갔지.

55: 노는 사람이 좀 하지. 너는 시킨다고 다 하냐? 학교에 가 버리지. 왜 말도 못하고 도망도 안 가고 맞고만 있었어? 바보같이.

15: 난 바보였어. 가출을 한 번 했는데 하루 만에 잡혀 왔어. '내가 사라지면 되겠구나' 생각했어. 창고에 굴러다니는 농약병이 보였어. 손이 떨렸고 심장이 쿵쾅거렸어. 엄마 아버지 얼굴이 떠올랐고 눈물이 흘러내렸어. 눈 딱 감고 마셨지.

55: 왜 그렇게 나약한 생각을 했어? 누가 들어봐도 네가 잘못한 게 없는데 왜 쉽게 목숨을 버리려고 했냐고.

15: 깨어보니 병실이었어. 다음날이 졸업식이었는데, 병실에서 눈 내리는 겨울 끝자락을 보고 있었어. 그 후, 나는 큰오빠한테 내가 맞아서 농약 마신 일, 덮자고 했었지.

55: 얼마나 때렸으면 그 어린 애가 못 견디고 죽으려고 했을까. 네가 죄지은 것도 아닌데 왜 그 일을 덮자고 했

어? 엄마 아버지한테, 다른 오빠들한테도 말했어야지.

15: 그럴 용기도 없었어. 매일 맞다 보니 기가 죽었어. 그
런 내가 싫었지만 참을 수밖에 없었어. 그 후 야간고등
학교 다니면서 번 돈, 세 오빠 대학등록금으로 생활비
로 다 썼어. 나를 위해 써본 적 없었어. 오빠들 밥해주
며 뒷바라지했었어.

— 「쉰다섯의 순덕이가 열다섯의 순덕에게 — 후배 순덕이를
위하여」 부분

이 작품엔 두 명의 화자가 등장하지만, 사실 이 둘은 한 사
람, 즉 "순덕이"이다. "쉰다섯"의 순덕이는 마치 정신과 의사
처럼 "열다섯"의 순덕이가 속에 억압된 것들을 말할 수 있도
록 도와준다. 한 주체 안의 두 자아는 마치 친숙한 자매처럼
격의 없이 대화를 주고받는다. "쉰다섯"의 순덕이는 자기 안
의 또 다른 내면인 "열다섯" 순덕이가 말을 할 수 있게 해주
고 들어준다. 이 시에서 "쉰다섯" 순덕이는 꼭 시인 같다. 시
인은 말을 못 하는 것들이 말을 할 수 있게 하거나, 말할 수 없
는 것을 말하거나, 울지 못하는 사람들을 위해 대신 울어주는
자이다. 위 작품에서 시인은 자신 안의 다른 자아에게 말을
거는 자이다. 2016년 노벨문학상 수상자인 미국의 대중 가
수 밥 딜런B. Dylan은 한 인터뷰에서 "나는 나의 말이다I am my
words"라고 고백하였다. 시인은 말을 하지 못하거나 하지 않
는 자 대신 말을 해주는 말words이다. 시인은 울지 못하는 자
대신 울음의 말을 해준다. 시인의 어머니는 시인을 통해 울음

의 말을 세상에 전한다. 이 시집에 나오는 모든 슬픈 자들은
시인을 통해 눈물의 신호를 세상에 풀어놓는다. 시인이 타자
의 울음을 실컷 울 때, 시의 숲이 천천히 우거진다.

정여운 시집

녹슨 글라디올러스

발　　행　　2024년 6월 30일
지 은 이　　정여운
펴 낸 이　　반송림
편집디자인　　반송림
표지 그림　　피에트 몬드리안, 「붉은 글라디올러스Red Gladioli」
펴 낸 곳　　도서출판 지혜
주　　소　　34624 대전광역시 동구 태전로 57, 2층 도서출판 지혜 (삼성동)
전　　화　　042-625-1140
팩　　스　　042-627-1140
전자우편　　eji@ji-hye.com
　　　　　　ejisarang@hanmail.net
애지카페　　cafe.daum.net/ejiliterature

ISBN　　979-11-5728-545-7　　03810
값　　12,000원

* 이 시집은 인천광역시와 (재)인천문화재단의 후원을 받아 '2024 예술창작지원
　사업'으로 선정되어 발간되었습니다.

정 여 운

정여운鄭餘芸 시인은 대구에서 태어나 숙명여대 교육대학원 석사
과정을 졸업하고, 현재 서울시립대 일반대학원 국어국문학과에
재학 중이다. 2013년『한국수필』로 수필, 2020년『서정시학』에
시「문에도 멍이 든다」외 2편이 당선돼 작품활동을 시작했다.
2019년「붉은 도장」으로 불교신문 10·27법난 문예공모전 산문
부문 대상을 수상했다. 시집『문에도 멍이 든다』(2021)『녹슨 글
라디올러스』(2024), 詩에세이집『다알리아 에스프리』(2023)가
있다. 2024년 인천문화재단 예술창작지원사업 시 부문에 선정
되었다. '새얼문학' 동인으로 활동하고 있다.

이메일   ywpoem79@daum.net